Antena 1

Curso de Español para Extranjeros

Antena 1

Curso de Español para Extranjeros

NIVEL ELEMENTAL

Equipo AVANCE

SGEL

Sociedad General Española de Librería, S. A.

Primera edición, 1986
Segunda edición, 1988
Tercera edición, 1989
Cuarta edición, 1990
Quinta edición, 1991
Sexta edición, 1992
Séptima edición, 1994
Octava edición, 1995

Curso de Español para Extranjeros
en tres niveles:

Elemental (1),
Medio (2),
Superior (3).

En cada nivel:
Libro del alumno.
Cuaderno de ejercicios.
Guía didáctica.
Juego de cassettes.

Equipo AVANCE
(Universidad de Murcia)
Aquilino Sánchez
Juan Manuel Fernández
M.ª Carmen Díaz

Dibujos
Manuel Delgado
Víctor M. Lahuerta

Diseño gráfico y cubierta
Víctor M. Lahuerta

Edita
Sociedad General Española de Librería, S.A.
Avenida Valdelaparra, 29 ■ 28100 Alcobendas, MADRID
Teléfono, 6617000 ■ Télex, NIOLA-E 22092

Producida
SGEL-Educación
Marqués de Valdeiglesias, 5 1.º ■ 28004 MADRID
Teléfonos-5322392 - 5322475

Fotocomposición EBRO Composición, S. L.
Impresión: Talleres Gráficos Peñalara
Encuadernación: F. MENDEZ
ISBN: 84-7143 - 353 - 2
Depósito legal: M. 10.980-1995

PROCEDENCIA DE LAS ILUSTRACIONES
Diccionario: GDLE

Manuel García y Carmen Rodríguez Olmedo (fotografías): 13, 28, 29, 31, 32, 34 (excepto central), 39, 40 (abajo), 41, 42, 53, 57 (pequeña), 61, 64, 66, 67, 68, 70-1, 72, 77, 78, 81, 82, 95, 99, 102, 121, 123, 129 (arriba), 144 (inferior derecha), 154-5, 156, 157, 158, 159, 162 y 165.

Fotografías facilitadas por el Archivo Fotográfico del INPROTUR (S.E.T.): 14, 22, 23, 24, 25, 26, 27, 34 (redonda), 40 (arriba), 51, 57 (excepto pequeña), 104 (arriba), 112, 113, 115, 116, 124, 125, 127, 129 (abajo) y 152.

EFE (fotografías): 19, 21, 54, 56, 103, 104 (excepto arriba), 111, 135, 140, 144 (excepto inferior derecha), 145, 146, 163 y 164.

ARCHIVO SGEL (fotografías): 16-7.

E. Sánchez (fotografía): 20.

Manuel Delgado (dibujos): 14, 15 (abajo), 19 (7 superiores), 21, 23 (arriba), 25, 29, 30 (centro), 31, 36, 43, 44 (abajo), 46, 47, 48, 50, 52, 55, 58-9, 60 (arriba), 61, 63, 73, 75 (arriba), 76, 77, 79, 80, 84, 85, 87, 88-89, 90, 91, 93, 95, 97, 101, 103, 105, 106, 114, 117, 119, 121, 125, 127, 128, 132 (abajo), 133 (arriba), 134 (abajo), 139, 140, 141, 147 (abajo), 148, 149, 150, 151, 152, 153, 157, 158, 159 y 160-61.

Luis Carrascón (dibujos y montajes): 10, 11, 12, 15 (centro), 18, 19 (tres inferiores), 23 (centro), 26 (centro), 27, 30 (arriba y abajo), 33, 35, 37, 38, 42, 44 (arriba), 45, 53, 54, 60 (abajo), 65, 69, 74, 75 (abajo), 80, 81, 83, 86, 90, 91, 92, 94, 96, 98, 100, 102, 107, 108, 109, 110, 113, 116, 118, 120, 126, 130-1, 132 (arriba y centro), 133, 134 (arriba), 135, 136-7, 138, 142-3 y 147 (arriba).

Víctor Lahuerta (dibujo): 26 (arriba).

Presentación

El español, como otras muchas lenguas, ha sido enseñado y aprendido de muchas maneras a lo largo de su historia. Pero cada época tiene sus necesidades, sus características y sus gustos. De ahí que se haga necesario acomodar la metodología a lo que exigen los tiempos.

ANTENA I responde a este planteamiento y a esos requisitos.

Es un método COMUNICATIVO que incorpora técnicas y actividades comunicativas. Pero al mismo tiempo, es un método multidisciplinar, que tiene en cuenta y toma en consideración lo que ha sido útil y eficaz en la enseñanza de idiomas hasta nuestros días: ejercicios de repetición, presentación de vocabulario, aclaraciones gramaticales... Lo que hace **ANTENA I** es, pues, integrar en un contexto comunicativo el aprendizaje de los diversos componentes que forman la lengua, en este caso el español.

CLAVE DE SIGNOS

Actividades para realizar fuera del aula.

Texto o diálogo grabado.

Contenido

Unidad	Area temática	El alumno aprenderá a...
1	Saludos y presentaciones.	Identificarse, presentar(se), saludar, preguntar el nombre.
2	Conocer, darse a conocer a los demás.	Preguntar por nacionalidad, profesión y trabajo.
3	Visita a una ciudad.	Identificar objetos y cosas. Describir el entorno.
4	La casa.	Describir el lugar donde se vive (casa/piso). Preguntar e informarse sobre ello.
5	El espacio externo.	Ubicar lugares, edificios. Preguntar por lugares.
6	El tiempo (hora y fechas).	Expresar o preguntar por la hora, fechas.
7	Actividades habituales y diarias.	Expresar preferencias, gustos. Invitar (aceptar o rechazar).
8	El tiempo atmosférico.	Hablar del tiempo que hace.
9	El vestido.	Hablar del vestido. Preguntar por prendas, precios. Comprar.
10	Medios de subsistencia (mercado, banco).	Expresar cantidades. Comparar. Pedir/dar información sobre dinero y cosas de comer.
11	Planes futuros (concurso, viaje).	Relatar hechos futuros. Predecir.
12	Obligaciones profesionales o habituales.	Expresar obligación.
13	Estados de ánimo (fiesta).	Expresar satisfacción, agrado, enfado...

Aspectos gramaticales	Puntos específicos	Destrezas lingüísticas y actividades
Presente indicativo de ser y estar. Concordancia -o/-a. ¿Quién/Qué...? Este... Esta. El/La. Lo/La. Un/Una. A + el (Al); De + el (Del).	Números: 0 al 5.	Exposición a la lengua oral y escrita. Manipulación de estructuras elementales.
Presente indicativo de verbos en -ar, -ir. Negación. Lo (objeto directo). Concordancia de palabras acabadas en consonante.	Números: 6 al 20	Exposición a la lengua oral y escrita. Manipulación de estructuras sencillas.
Concordancia sustantivo-adjetivo. Expresión de cercanía-lejanía. Hay + sustantivo.	Números: 21 al 100	Comprensión y expresión oral-escrita. Práctica de estructuras sencillas.
Presente indicativo de verbos en -er. Irregularidad e → ie. Formas de la posesión.	Los colores.	Exposición a la lengua hablada más compleja. Extracción de información del texto oído. Manipulación y repetición.
Formas verbales para orientar (tome, gire...). Saber: sé... Sentir: siento. Estructuras para expresar distancias y localización. Concordancia.	La g y j	Exposición a la lengua oral para captar información. Comprensión y producción mediante manipulación.
Podría. Estructuras para expresar tiempo. Verbos con cambio de -o en -ue. Salir: salgo.	Días, meses.	Exposición para habituar el oído a la lengua hablada. Manipulación de formas para producir información.
Formas del condicional en los verbos. Me, te, se... gusta...; A mi me gusta. Lo/la odio...	Deportes.	Exposición y comprensión de información puntual. Repetición y producción.
Verbos defectivos (nieva, llueve...).	Reconocer y escribir z/c.	Exposición a la lengua. Comprensión, manipulación y producción.
Querría, haría, desearía, podría. Lo, la, los, las como objeto directo. Estructuras exigidas por el tema (Es de.../ ¿Cuánto cuesta...?).	Uso del diccionario.	Exposición a la lengua oral para extaer información. Práctica mediante manipulación. Producción.
Estructuras para comparar. Formas para expresar cantidades, etc., traer (traigo), saber (sé), venir (vengo), oír (oiga).	Moneda española.	Exposición a la lengua oral y escrita. Manipulación y producción.
Formas de futuro en el verbo.	Profesiones.	Exposición extensa e intensa a la lengua hablada. Comprensión de lengua escrita.
Formas y estructuras para expresar la idea de obligación (debo, tengo que, necesito...).	Anuncios. Cartas.	Comprensión oral y escrita. Exposición a la lengua oral. Interacción.
Superlativos (ísimo, muy...) ¡Qué...! Negación con nada, nunca. Lo que. Hacer (hecho), romper (roto).	Discriminar v y b.	Exposición a la lengua oral-escrita. Interacción. Aprender divirtiéndose.

Contenido

Unidad	Area temática	El alumno aprenderá a...
14	Acciones de cada día.	Referirse y explicar lo que se hace diariamente.
15	Cuerpo y salud.	Nombrar las partes del cuerpo. Hablar de dolor, salud.
16	Acciones/actividades pasadas.	Narrar experiencias y hechos pasados. Contar alguien su vida.
17	Transporte y viajes.	Pedir/dar información sobre viajes, entorno. Leer folletos para buscar información.
18	Turismo.	Escribir, informar sobre lugares, monumentos... Hablar de gustos, regalos...
19	Comida y restaurantes.	Informarse, preguntar sobre cuándo, cómo y qué comer.
20	Las vacaciones.	Dar/pedir instrucciones para ir/viajar a un lugar.
21	Predicciones.	Hablar de cosas futuras o predecirlas.
22	Sucesos.	Narrar algo ocurrido.
23	Hechos razonados.	Narrar dando explicaciones, aclaraciones o razones.
24	Narración de experiencias personales.	Narrar lo que le ocurre a uno mismo.
25	El uso de las cosas y utensilios.	Comprender/dar instrucciones para el manejo de algo.
26	Noticias y medios de comunicación.	Narrar lo ocurrido o dicho por otro. Expresar opiniones. Comprender noticias de diarios o radio/televisión.

Aspectos gramaticales	Puntos específicos	Destrezas lingüísticas y actividades
Me, **te**, **se**, **nos**, **os**, **se**, antepuestos y postpuestos. Formas de gerundio.	El aseo.	Manipulación e interacción.
Me, **te** postpuestos con imperativo (*tócate, dúchate...*). Formas del imperativo en los verbos.	Uso del diccionario.	Exposición a la lengua con comprensión puntual. Manipulación. Interacción.
Formas del pretérito imperfecto e indefinido.	Curriculum.	Comprensión oral y escrita. Interacción, manipulación y producción.
Revisión de las formas verbales. **Hay que** + infinitivo. **Ir a**... **Debe** + infinitivo. Formas de prohibición.	Folletos publicitarios.	Comprensión escrita y oral. Buscar información. Lectura e identificación de secuencias de sonidos.
Comparación. Lenguaje descriptivo. Estructuras para preguntar/expresar gustos, preferencias.	Objetos de regalo y recuerdos.	Comprensión oral y escrita. Interacción y producción oral.
Formas del condicional e imperativo. **A** *él le*... *Qué/cuál.* **A** *mí* póngame... Pronominalización con el artículo: *El mejor.* *Los de. Las que...*	Carta/Menú.	Comprensión y expresión oral y escrita. Interacción.
Imperativo. Formas del subjuntivo presente. Estructuras de oraciones con **que** *(ruego que...).*	La **h** (ortografía). Rutas turísticas.	Exposición a la lengua oral. Comprensión y expresión oral y escrita. Interacción.
Formas irregulares de futuro. **Creo/estoy seguro que**... Negación con *nunca* antes o después del verbo.	Horóscopo.	Exposición a la lengua oral y escrita. Reconocer formas escritas. Producción.
Práctica y contraste en el uso de los tiempos de pasado (imperfecto, indefinido y perfecto).	Modelo de relato.	Comprensión y producción oral y escrita. Producción creativa (relato fantástico).
Oraciones complejas con partículas que introducen razonamiento *(porque, así que, ya que...).*	Notificaciones entre amigos	Comprensión y producción oral y escrita. Interacción.
Conectores de secuencias temporales en oraciones complejas.	Números ordinales	Exposición a la lengua oral para suplir información. Comprensión y producción creativa.
Imperativo. Estructuras para expresar obligación, necesidad. Oraciones con *para* y *si* (condicional).	Sonidos [k] y [θ]	Exposición a la lengua oral para captar información. Comprensión y producción oral y escrita. Interacción.
Dice/dijo/ha dicho + **que** + imperfecto/condicional/presente o futuro de indicativo. **Pienso/opino que**... **Se dice/comenta**...	[ks] (x)	Comprensión de mensaje oral o escrito. Producción, interacción.

I. Saludos.

1 Escucha el diálogo.

Mi nombre es Manolo
(En una fiesta de carnaval)

Manolo: *Oiga, ¿es usted Juan Martínez?*
José: *No, no lo soy. Me llamo José López. Y, ¿usted quién es?*
Manolo: *Mi nombre es Manolo Rodríguez. Perdone.*

2 Practica con tu compañero/a.

▶ *¿Quién es usted?*
▷ *Mi nombre es* **Francisco.**

3 Escucha el diálogo.

¿Cómo estás?

Manolo: *Oye, ¿eres tú Juan Martínez?*
Juan: *Sí, yo soy Juan Martínez. Y tú, ¿quién eres?*
Manolo: *Soy Manuel Rodríguez, Manolo.*
Juan: *¡Hola, Manolo! ¿Cómo estás?*
Manolo: *Muy bien, y tú, ¿qué tal estás?*
Juan: *Bien, muy bien*

4 Practica con tu compañero/a.

▶ *¿Quién eres tú?*
▷ *Soy* **Manolo.**
▶ *¿Cómo estás?*
▷ **Bien,** *gracias.*

5 Escucha el diálogo.

¿Cómo se llama usted?

María: *Buenas tardes.*
Portero: *Buenas tardes. ¿Cómo se llama usted?*
María: *Me llamo María Jiménez.*
Portero: *Gracias, puede pasar.*

6 Practica con tu compañero/a.

▶ ¿Cómo se llama usted?
▷ Me llamo **María**.

7 Por parejas. Forma diálogos de acuerdo con estos modelos.

A ▶ Perdone, ¿cómo se llama usted?
  ▷ Me llamo **Javier**.
  ▶ Gracias.

B ▶ Oiga, ¿es usted **José**?
  ▷ Sí, soy yo. ¿Y usted quién es?
  ▶ Soy **Ana**. ¿Cómo está usted?
  ▷ Muy bien, gracias. ¿Y usted?
  ▶ Bien, gracias.

8 Di cuáles de estas expresiones son **F** (formales) y cuáles son **C** (coloquiales).

	F	C
▶ Perdone, ¿es usted el señor Belmonte?		
▶ Oye, ¿eres tú Manolo García?		
▶ ¿Cómo te llamas?		
▶ ¿Cómo se llama usted?		

9 Por parejas. Saluda de forma coloquial, de acuerdo con estos modelos.

A ▶ Oye, ¿cuál es tu nombre?
  ▷ Me llamo **Isabel**.
  ▶ Gracias.

B ▶ Oye, ¿eres Carmen?
  ▷ Sí, soy yo. ¿Y tú quién eres?
  ▶ Soy Juan. ¿Cómo estás?
  ▷ Bien, ¿y tú?
  ▶ Bien, muy bien.

II. Presentaciones.

Aprende. **1**

0	1	2	3	4	5
cero	uno	dos	tres	cuatro	cinco

Escucha el diálogo. **2**

Esta es Pilar

Juan: *Manolo, ésta es una amiga.*
Manolo: *¡Qué hay! Encantado de conocerte. ¿Cómo te llamas?*
Pilar: *Pilar.*
Manolo: *Bueno, que te diviertas. Hasta luego.*
Pilar: *Hasta luego.*

Practica con tu compañero/a. **3**

▶ *Est**e/a** es mi amig**o/a***
▷ *Encantad**o/a** de conocerte.*

Escucha el diálogo. **4**

Te presento al señor López

Juan: *María, te presento a mi jefe, el señor López.*
María: *Mucho gusto en conocer**le**. ¿Cómo está usted?*
Sr. López: *Muy bien, muchas gracias. Lo siento, es muy tarde. Buenas noches.*
Juan: *Adiós. Buenas noches.*

Practica con tu compañero/a. **5**

▶ *María, te presento a mi amigo/a **Juan/Carmen**.*
▷ *Mucho gusto en conocer**le/la**. ¿Cómo está usted?*
▶ *Muy bien, gracias.*

Rellena este impreso. **6**

CLUB JUVENIL

Número socio: *4*

Apellidos: —————————
Nombre: —————————

Copia el impreso. Pregunta a tu compañero/a y rellénalo. **7**

8 Une estas expresiones con líneas.

▶	▷
Buenas tardes ●	● ¡Hola!
¿Cómo estás? ●	● Encantado
Este es Emilio ●	● Buenas tardes
¿Cómo está usted? ●	● Mucho gusto en conocerle
¡Hola! ●	● Bien, gracias
Te presento al señor López ●	● Muy bien, gracias

9 Escucha la conversación. ¿Qué están diciendo estos personajes?

A.

B.

C.

10 Haz una lista de clase. Pregunta a tus compañeros sus nombres y apellidos.

LA CLASE DE ESPAÑOL

	Apellido(s)	Nombre(s)
1	. . . .	. . . .
2	. . . .	. . . .
3	. . . .	. . . .

III.   Primeras nociones.

1 Coloca buenos días, buenas tardes, buenas noches en la fotografía correspondiente.

Escribe frases sobre tus compañeros. **2**

Mi nombre es _____ y **mis** apellidos son _____ .
Tu _____ y **tus** _____ .
Su _____ y **sus** _____ .

Coloca estas palabras en los diálogos. **3**

A ▶ ¡Oye! ¿Cuál _____ tu nombre?
▷ Mi nombre _____ Juan, y mis apellidos _____ Rodríguez Cano.
▶ Ese señor _____ mi amigo. ¿Cuál _____ su nombre?
▷ _____ Francisco.
▶ ¿Y cuáles _____ sus apellidos?

B ▶ ¡Oye! ¿_____ tú Pedro?
▷ Sí, yo _____ Pedro. Y usted ¿quién _____ usted?
▶ _____ Cristina.

> es • son • me llamo • se llama • eres • soy

> soy • eres • es... • son • estoy • estás • está... • están

Tacha las palabras *raras*. **4**

estás	son	buenas tardes	usted
yo	eres	estar	esta
está	es	tú	buenas noches
es	muy bien	buenos días	**estás**

Escribe un texto similar sobre dos compañeros. **5**

Haz preguntas a tu compañero/a. **6**

▶ **¿Quién** eres?
▶ **¿Cómo** estás?
▶ **¿Quiénes** son Paco y Pilar?
▶ **¿Quién** es tu amigo?

> ¿Cómo...?
> ¿Quién...?
> ¿Quiénes...?

¿Qué están diciendo? Utiliza las expresiones del ejercicio 8 de la página anterior. **7**

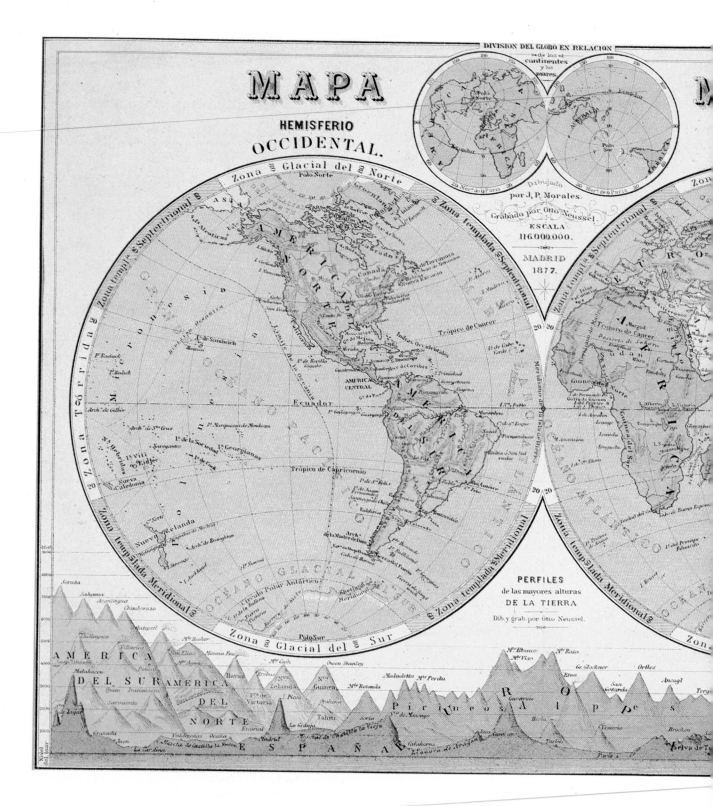

I. ¿A qué te dedicas?

1 En la clase.

(Carmen y sus alumnos en el primer día de clase)

Carmen: *Buenos días. Me llamo Carmen y soy vuestra profesora de español. Soy de Méjico, pero vivo en España. Y vosotros, ¿de dónde sois?*

Hildi: *Yo me llamo Hildi y soy suiza. Vivo muy cerca de Zürich, y trabajo de secretaria de un abogado. Mi trabajo me encanta.*

Alí: *Mi nombre es Alí, mi nacionalidad es americana pero soy de Sudán.*

Carmen: *¿En qué trabajas, Alí?*

Alí: *Soy veterinario y trabajo en la Universidad de Jartum.*

Carmen: *Muy bien, y tú, ¿cómo te llamas?*

Ibrahim: *Yo soy Ibrahim, soy argelino y vivo en Túnez. Además, viajo mucho.*

Carmen: *¿Qué países conoces?*

Ibrahim: *Alemania, Francia, Inglaterra y casi toda Hispanoamérica.*

Carmen: *Bien, encantada de conoceros.*

2 Ibrahim y Alí están en el bar.

(Ibrahim y Alí en el bar)

Alí: *Tú visitas muchos países, ¿por qué?*

Ibrahim: *Porque mi padre es director de una empresa importante.*

Alí: *Y tu madre, ¿a qué se dedica?*

Ibrahim: *Mi madre es ama de casa.*

Alí: *Mira, allí están Carmen, Hildi y dos alumnos nuevos. Vamos.*

Ibrahim: *De acuerdo.*

3 Pregunta a tu compañero/a según el modelo.

▶ *¡Hola! ¿De dónde eres?*
▷ *Soy de Roma.*
▶ *¿Y dónde vives?*
▷ *Vivo en Pisa.*

4 Continúa la conversación según este otro modelo.

▶ *¿A qué te dedicas?*
▷ *Soy estudiante.*
▶ *¿Dónde estudias/trabajas?*
▷ *Estudio en la Universidad.*

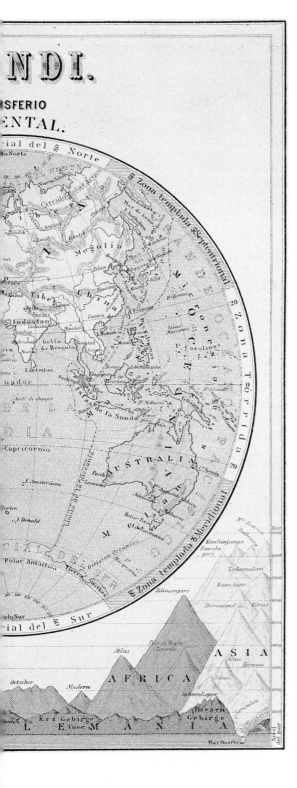

	Nacionalidad	Profesión
Ibrahim		
Peter		

(Todos juntos)

Ibrahim y Alí: *Buenos días, ¿cómo estáis?*
Los demás: *Hola, estamos muy bien, gracias.*
Alí: (Dirigiéndose a los dos nuevos). *Nosotros somos Ibrahim y Alí. ¿Cómo os llamáis vosotros?*
Julietta: *Yo me llamo Julietta.*
Peter: *Y yo soy Peter.*

(Ibrahim y Julietta)

Ibrahim: *¿De dónde eres?*
Julietta: *Soy de Italia. Este es mi primer viaje a España y estoy muy contenta.*

(Alí y Peter)

Alí: *Y tú, Peter, ¿de dónde eres?*
Peter: *Mi país es Suecia, vivo en Estocolmo.*
Alí: *¿Y qué haces?*
Peter: *Ahora estoy de vacaciones, pero normalmente trabajo como profesor de Psicología.*

(Ibrahim y Julietta)

Ibrahim: *Julietta, ¿estudias o trabajas?*
Julietta: *No trabajo, estudio; quiero ser maestra de niños pequeños. ¿Y tú? ¿A qué te dedicas?*
Ibrahim: *Yo también soy estudiante y quiero ser médico.*

II. ¿De dónde eres?

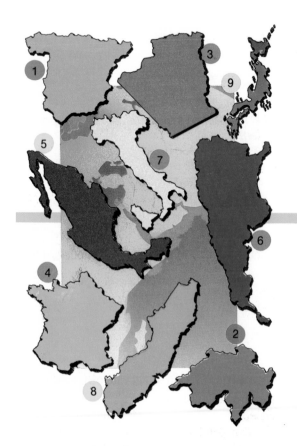

1 Completa el siguiente cuadro.

Número	País	Nacionalidad	
uno	España		española
	Suiza	suizo	
	Argelia	argelino	
	Francia		francesa
	Méjico		mejicana
seis		argentino	argentina
siete	Italia		italiana
ocho		sueco	sueca
nueve	Japón	japonés	

Estudia las expresiones siguientes. **2**

▶ *¿De dónde es?*

▷ *De España. Es español.*

▶ *¿Cuál es su nacionalidad?*

▷ *Es americano.*

▶ *¿Cuál es su país?*

▷ *Brasil. Es brasileño.*

▶ *¿Quiénes son?*

▷ Son la reina Sofía y el rey Juan Carlos.

¿Qué son?

▷ Son los Reyes de España.

▶ *¿En qué trabaja?*

▷ *Es cartero.*

▶ *¿A qué se dedica?*

▷ *Es dentista.*

▶ *¿Qué hace?*

▷ *Es fotógrafo.*

▶ *¿Qué es?*

▷ *Es mecánico.*

▶ ¿Quién es?
▶ ¿Qué es?
▶ ¿De dónde es?

▷ Es Beethoven.
▷ Es músico.
▷ Es de Alemania.
▷ Es alemán.

▷ Es Charles Chaplin.
▷ Es actor.
▷ Es de Inglaterra.
▷ Es inglés.

▷ Es Ronald Reagan.
▷ Es político.
▷ Es de EE. UU.
▷ Es americano.

3   Adivina. ¿Qué soy?

Por parejas. **Escribid nombres de profesiones en trocitos de papel y dobladlos después. El alumno** A **coge un papelito. El alumno** B **tiene que descubrir la profesión preguntando así:**

> *¿Eres mecánico/médico...?*
> *Sí, lo soy/No, no lo soy.*

El que acierta, coge otro papelito, y se repiten las preguntas.

4   Adivina, adivina... ¿Quién soy?

Por grupos de 4 a 6 alumnos. **Un alumno piensa en un personaje famoso actual. El resto del grupo hace preguntas así:**

> *¿Eres cantante?*
> *¿Eres español?*
> *¿Vives en América?*
> *¿Eres Julio Iglesias?*

Las respuestas sólo pueden ser así:

> *Sí, lo soy.*
> *No, no lo soy.*

Y el alumno que lo adivina elige un nuevo personaje.

III. Primeras nociones.

1   Observa: estas palabras llevan acento. Haz una pregunta con cada una de ellas.

Quién
Qué
Cómo
Dónde
Por qué

2 Agrupa estas palabras en tres columnas.

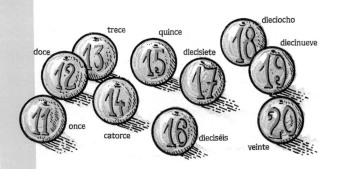

uno profesor tres español dos actor
japonés cuatro alemán médico camarero
secretaria cinco americano italiano

3 Completa estas frases.

▸ ¿Eres español?   ▷ No, no soy español.
▸ ¿Eres francesa?   ▷ No, ___ soy francesa.
▸ ¿Eres sueco?   ▷ No,_____
▸ ¿Eres alemana?   ▷

4 Subraya las palabras femeninas.

secretaria • amigo • país • americano • reina •
suiza • ella • argelino • una • él • vosotras •
italiana • alumno • amiga • alumna • japonesa

5 Aprende.

6	**7**	**8**	**9**	**10**
seis	siete	ocho	nueve	diez

doce · once · trece · catorce · quince · dieciséis · diecisiete · dieciocho · diecinueve · veinte

6

A. Dialoga con tu compañero/a.

▸ ¿A qué se dedica?
▸ ¿De dónde es?   ▸ ¿Quién es?
▸ ¿Es español?   ▸ ¿Qué hace?
▸ ¿En qué trabaja?   ▸ ¿Dónde vive?

B. Haz preguntas similares a tu compañero/a.

Ejemplo: ▸ ¿Dónde vives?
          ▸ ¿Dónde trabajas?
          ▸ ¿...?

Yo	vivo	
Tú	vives	en Madrid
El/Ella	vive	

Yo	trabajo	en Barcelona
Tú	trabajas	en Roma
El/Ella	trabaja	en Tánger

Consulta al profesor o estudia por ti mismo.   Pág. 167

21

I. Aquello es la Giralda.

Escucha el diálogo. 1

(A la salida de la estación del tren en Sevilla)

Turista: *Buenos días. Al centro de la ciudad, por favor.*
Taxista: *De acuerdo.*
Turista: *A la calle Requena.*
Taxista: *¿Qué número?*
Turista: *Número trece.*

Escucha el diálogo. 2

(En el camino. Dentro del taxi)

Turista: *Esta ciudad es muy grande y muy bonita.*
Taxista: *Sí, Sevilla es una ciudad especial.*
Turista: *¿Qué es aquello?*
Taxista: *Aquello es la Giralda.*
Turista: *Es muy alta. ¿Y también muy antigua?*
Taxista: *Sí, claro... Aquí es, señorita.*
Turista: *Gracias.*

Practica con tu compañero/a. 3

Ejemplo:

A ▶ *¿Qué es* | *esto* / *aquello* | *?*
B ▷ *Esto es un río.*
  ▷ *Aquello es un taxi.*

Escucha el diálogo. 4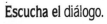

(Turista en la puerta del edificio)

Portero: *Buenos días. ¿Qué desea?*
Turista: *Quiero visitar a la señorita Martínez.*
Portero: *Pues ahora vive en otro sitio.*
Turista: *¿Está muy lejos de aquí?*
Portero: *No, está cerca.*
Turista: *¿Puede darme su dirección, por favor?*
Portero: *Vive en la calle Pureza. Es una calle estrecha y con muchas flores en todos los balcones. Es la primera a la derecha. Ella vive en el número diez.*
Turista: *Muchas gracias. Entonces, voy recto y luego, ¿a la izquierda o a la derecha?*
Portero: *A la derecha. Usted no es de aquí, ¿verdad?*
Turista: *No, no. Yo no soy de aquí. Muchas gracias y adiós.*
Portero: *Recuerde: número diez. Adiós.*

5 Escucha los diálogos **anteriores y completa.**

A ▶ *Sí, Sevilla es una ciudad especial.*
  ▷ *¿Qué es ⬛⬛⬛⬛ ?*
  ▶ *Aquello ⬛⬛⬛⬛ la Giralda.*
  ▷ *Es muy ⬛⬛⬛⬛ ¿Y también es muy ⬛⬛⬛⬛ ?*
  ▶ *Sí, claro. Aquí es, señorita.*

B ▶ *¿Está muy ⬛⬛⬛⬛ aquí?*
  ▷ *No, está cerca.*
  ▶ *¿Puede darme su ⬛⬛⬛⬛ , por favor?*
  ▷ *⬛⬛⬛⬛ en la calle Pureza.*
    Es ⬛⬛⬛⬛ calle ⬛⬛⬛⬛
    y con muchas flores en todos los balcones.

6 Escucha y repite el **diálogo.**

(Turista en la puerta del edificio)

Turista: *Esta es la dirección, y... éste es el edificio.*

(Señorita Martínez saliendo de la casa)

...y ésta es Loli Martínez.

Loli: *Frankie. ¡Qué alegría verte! Sube a casa y deja tus cosas allí.*

7 Escucha todos los **diálogos y comprueba estas afirmaciones.**

	V	F
1. El nombre de la turista es Loli.		
2. La Giralda es pequeña y muy antigua.		
3. Loli es de Sevilla.		
4. La señorita Martínez vive en el número diez.		
5. La turista sube a casa de Loli.		
6. La calle Pureza está lejos de la calle Requena.		

II. ¿Dónde vives?

Por parejas. Forma diálogos así. 1

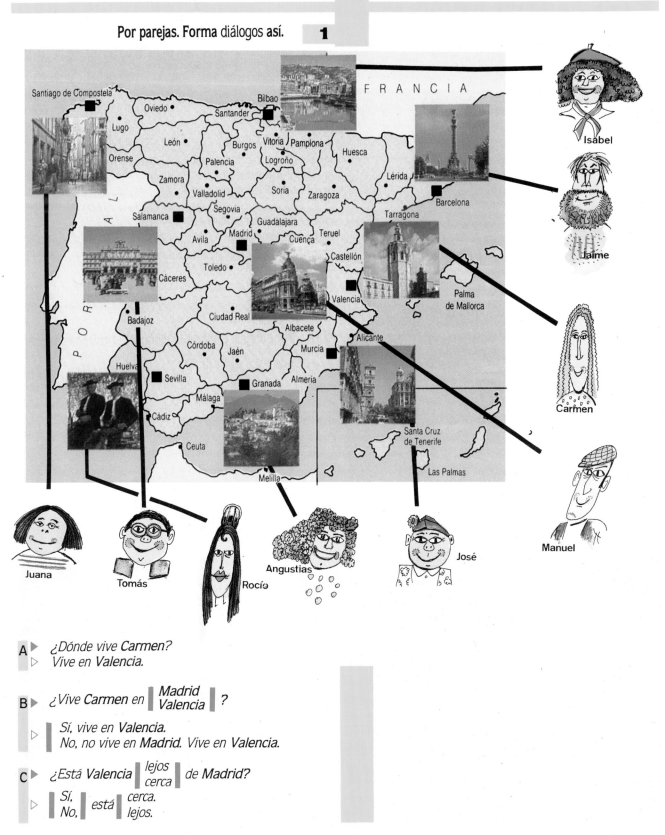

A ▶ *¿Dónde vive Carmen?*
  ▷ *Vive en Valencia.*

B ▶ *¿Vive Carmen en* | *Madrid* / *Valencia* | *?*
  ▷ *Sí, vive en Valencia.*
     No, no vive en Madrid. Vive en Valencia.

C ▶ *¿Está Valencia* | *lejos* / *cerca* | *de Madrid?*
  ▷ | *Sí,* / *No,* | *está* | *cerca.* / *lejos.*

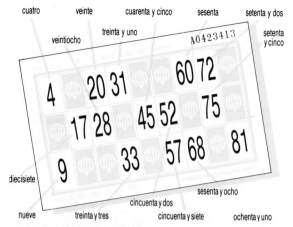

cuatro   veinte   cuarenta y cinco   sesenta   setenta y dos

veintiocho   treinta y uno      setenta y cinco

A0423413

4	20	31		60	72
17	28		45	52	75
9		33		57	68	81

diecisiete   sesenta y ocho

cincuenta y dos

nueve   treinta y tres   cincuenta y siete   ochenta y uno

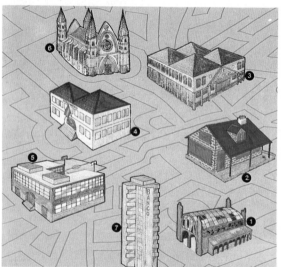

2 Por parejas.

● Uno dice un número del 1 al 99:

12, 59, 63, 81, ...

● El otro lo dice al revés y elige un nuevo número:

21, 95, 36, 18, ...

3 Completa.

● El edificio número 1 es
● El edificio número 2 es
● El edificio número 3 es
● El edificio número 4 es
● El edificio número 5 es
● El edificio número 6 es
● El edificio número 7 es

famoso • alto • grande • bonito • viejo • blanco • antiguo

4 Por parejas. Observa el plano y haz diálogos así:

▷ ¿Dónde está el banco?

▷ Está | cerca / lejos | de

museo • iglesia • parque • colegio • mercado • casa • ayuntamiento

III. Sevilla es especial.

1 Escucha el diálogo.

(Loli y Frankie paseando por las calles de Sevilla)

Frankie: *¿Qué hay allí?*
Loli: *El río Guadalquivir.*

(Se acercan)

Frankie: *¡Qué grande! Hay mucha agua ¡y no está sucia! También hay muchos barcos. ¿Qué es aquel edificio redondo?*
Loli: *Es la Torre del Oro y éste es el Puente de Triana.*

(Siguen paseando)

Frankie: *¿Y esto?*
Loli: *Esta es nuestra catedral. Y aquélla, ya la conoces, es la Giralda.*
Frankie: *¡Me encanta tu ciudad!*

Completa con adjetivos del diálogo anterior. **2**

- Una ciudad _____
- La Giralda es _____
- El río es _____
- Hay casas _____
- Sevilla es _____
- Una calle _____
- El agua está _____
- La Torre es _____

Ciudad	bonit-**a**
Río	
Ciudad	grand-**e**
Edificio	alt-**o**

Lee. **3**

SEVILLA es una ciudad muy alegre, con mucho color. Las casas son blancas, con flores en los balcones. Hay muchos parques y jardines para jugar, pasear... Sus procesiones son muy famosas en todo el mundo; la gente es muy amable y simpática, sobre todo en la Feria de Abril.

¿Y tu ciudad? Escribe siete frases sobre tu ciudad. **4**

Mira la agenda y pregunta a tu compañero/a según el modelo. **5**

- ▶ ¿Dónde vive *Isabel*?
- ▶ ¿Cuál es la dirección de *Jaime*?
- ▶ ¿Cuál es el número de teléfono de *Carmen*?

✉	☎
Manuel Alonso C. c/ Princesa, 36 28 008 MADRID	7 58 61 92
Isabel Azpeitia M. c/ Bizcorta, 98 48013 BILBAO	56 97 33
Jaime Oromich Pº Ramblas, 73 08002 BARCELONA	365 42 79
Carmen Gil G. c/ José Antonio, 39 46 005 VALENCIA	392 76 28
José Díaz B c/ Platería, 5 30004 MURCIA	76 82 40

Escribe en una agenda las direcciones y teléfonos de tus compañeros. **6**

Consulta al profesor o estudia por ti mismo.

Pág. 168

I. ¿Casa o piso?

María José y su marido viven en un piso pequeño de alquiler. Ahora quieren comprar una vivienda propia. ¿Qué anuncio es más interesante para ellos? **1**

VENDO piso en Madrid centro, 4 dormitorios. Precio a convenir. Tel. (91) 3456170. Srta. Gertrudis.

ALQUILO casa de dos plantas. Siete habitaciones. Tel. 236578. Preguntar por señor Hernández.

VENDO piso pequeño. Buen precio. Llamar al 841167.

VENDO casa en el campo. 1500 metros cuadrados. Tel. (968) 501492.

ALQUILO piso en calle Gran Vía. 40.000 ptas. Tel. 215781.

Escucha el diálogo. **2**

María José: *Buenos días. ¿Es el 214210?*
Sr. Conrado: *Sí, señora. Esto es la agencia Conrado, Sociedad Anónima. ¿Qué desea?*
María José: *Mi marido y yo buscamos un piso grande o una casa. Ahora vivimos en un piso muy pequeño de alquiler, y queremos comprar otro.*
Sr. Conrado: *Podemos ofrecerle un piso en el centro de la ciudad. Es un tercer piso y tiene cuatro dormitorios, una cocina, dos cuartos de baño, salón-comedor y terraza.*
María José: *Me parece muy bien. ¿Qué precio tiene?*
Sr. Conrado: *Vale diez millones de pesetas.*
María José: *Entonces no nos interesa. Gracias. Adiós.*

Lee el diálogo anterior y averigua cuál de estos tres pisos ofrece la agencia Conrado, Sociedad Anónima. **3**

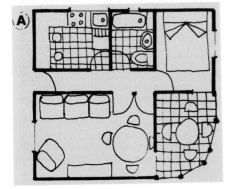

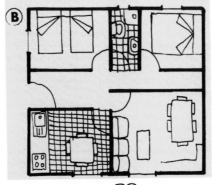

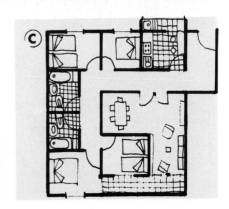

29

4 Busca un dibujo para cada palabra.

lavadora	☐	mesa	☐
cama	☐	sofá	☐
alfombra	☐	cuadro	☐
bañera	☐	lámpara	☐
sillón	☐	espejo	☐
silla	☐	frigorífico	☐

5 Escucha. Completa esta habitación según el texto.

6 Dibuja tu habitación ideal.

7 Descríbela al resto de la clase.

II. ¿Cómo es tu casa?

1 Observa esta casa de campo: identifica cada parte con su número.

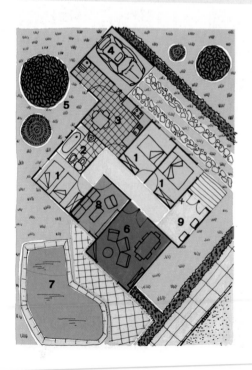

¿Dónde está la casa?
¿Cómo es

	Número	Color
Garaje		
Comedor		
Dormitorios		
Cocina		
Piscina		
Sala de estar		
Recibidor		
Jardín		
Cuarto de baño		

Escucha el diálogo y di a qué anuncio de la página 29 corresponde esta vivienda. **2**

(Suena el teléfono)

Sr. García: *Agencia García y Hermanos, Sociedad Anónima. ¿Dígame?*

María José: *Buenos días. Llamo por el anuncio del periódico. Ustedes venden una casa.*

Sr. García: *Ah, sí. ¿Desea usted verla?*

María José: *Sí, sí. ¿Dónde está situada?*

Sr. García: *Está en las afueras de la ciudad. En el barrio La Paz exactamente. A la derecha del campo de deportes.*

María José: *Entonces está un poco lejos. Podemos estar allí dentro de una hora.*

Escucha el diálogo. **3**

(Una hora más tarde. señor García, María José y su marido)

Sr. García: *Buenos días. Esta es la casa.*

Marido: *Por fuera es muy grande.*

Sr. García: *Sí, además tiene piscina y pista de tenis.*

Marido: *¿Cuántas plantas tiene?*

Sr. García: *Tiene tres.*

María José: *¿Y por dentro? ¿Podemos entrar dentro?*

Sr. García: *Naturalmente. En la primera planta está el recibidor, el comedor, la cocina y un cuarto de baño.*

María José: *¿Qué hay arriba?*

Sr. García: *En la segunda planta tienen ustedes cuatro dormitorios y otro cuarto de baño.*

Marido: *¿Y en el sótano?*

Sr. García: *Hay un aseo, otro dormitorio y un estudio.*

María José: *Es una casa maravillosa. ¿Cuánto vale?*

Sr. García: *Vale dieciocho millones de pesetas.*

Marido: *Es un poco cara, pero nos interesa.*

Lee el texto anterior y di cuántas habitaciones hay en la casa. **4**

dormitorios
cocinas
cuartos de baño
estudios
otros
TOTAL

Hay	una cocina
	dos dormitorios

¿Dónde viven estos personajes? **5**

casa
piso

palacio
apartamento

31

6   Juego en grupos de cuatro a seis. ¿**Tienes buena memoria?**

A. En mi casa hay **flores.**
B. En mi casa hay **flores** y un sillón.
C. En mi casa hay **flores**, un sillón y...
D.

¡El récord es 30 palabras!...

III. La vivienda ideal

1   Escucha el diálogo.

María José:	*La casa es preciosa. Tiene garaje en la parte de atrás, piscina, campo de tenis; la cocina también es muy grande: tiene frigorífico, cocina, horno, lavavajillas, lavadora, armarios... ¡todo!*
Marido:	*Sí, además, teléfono, gas. Y el supermercado y la escuela están muy cerca. En realidad, esta casa tiene muchas comodidades.*

2   ¿Qué comodidades tiene...?

Comodidades	La casa descrita	Tu casa real	Tu casa ideal
Teléfono	✕		
Gas ciudad			
Garaje			
Piscina			
Pista de tenis			
Calefacción			
Agua caliente			
Aire acondicionado			

3   Pregunta a tu compañero/a qué tiene su casa.

▶ *¿Tiene garaje tu casa?*
▶ *Y piscina, ¿tiene piscina?*

4   Escribe siete frases sobre tu casa ideal.

5 🔊 Juan y Ana viven en barrios distintos. Escucha y anota qué tiene cada barrio.

	Juan	Ana
Escuela	✗	
Cine		
Supermercado		
Teléfono público		
Jardín		
Tiendas		
Teatro		
Discoteca		
Campo de deportes		

6 Pregunta a tu compañero/a sobre su barrio.

7 ✏ Lee esta postal y con tu compañero/a, escribe una carta-respuesta.

7/12/86

¡Hola, Elisa!
¿Cómo estás? Yo estoy muy contenta.
¡Ya tengo piso! Me gusta mucho mi habitación, es rosa y blanca. En las paredes hay fotografías de mis amigos, cuadros y pósters.
Todo es muy bonito.
¿Y tú? ¿Tienes piso o casa? Dime cómo es. Hasta pronto.
Tu amiga,
Rocío

Srta...
Elisa García
c/ Las Palmas, nº 5
03014 Alicante
ESPAÑA

8 Busca objetos en la clase y di de qué color son.

BLANCO
AMARILLO
NARANJA
AZUL CLARO
VERDE
ROJO
AZUL OSCURO
MARRÓN
NEGRO

Consulta al profesor o estudia por ti mismo. Pág. 168

I. Oiga, ¿dónde está el teatro?

1 ¿Cómo se llaman estos sitios?

1. (un) aparcamiento.
2. (la) comisaría.
3. (la) estación.
4. (la) parada de autobuses.
5. (una) cabina de teléfonos.
6. (el) banco.
7. (la) catedral.

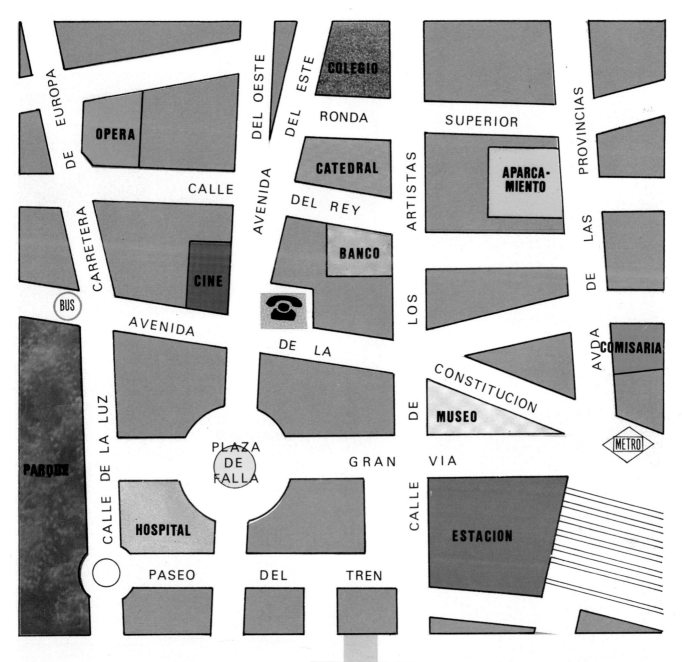

Completa según el plano. **2**

A ▶ *¿Dónde está la estación?*
  ▷ *Está **cerca de*** ▨▨▨▨▨▨▨▨▨▨

B ▶ *¿Dónde está* ▨▨▨▨▨▨▨▨▨▨ *?*
  ▷ *Está **detrás de** la catedral.*

C ▶ *¿Dónde está* ▨▨▨▨▨▨▨▨▨ *?*
  ▷ *Está **entre** la parada de autobuses y la cabina de teléfonos.*

D ▶ *¿Dónde está el Museo?*
  ▷ *Está **junto a*** ▨▨▨▨▨▨▨▨

E ▶ *¿Dónde está* ▨▨▨▨▨▨▨▨▨ *?*
  ▷ *Está **en frente de** la catedral.*

3 **Por parejas. Mira el plano y pregunta.**

▶ *¿Sabe usted dónde está **el museo**?*

▷ *Sí, está **junto** a **la estación.***
  No. Lo siento, no soy de aquí.

4 Escucha y escribe.

Coger
Coja
Oiga

5 Escucha y di dónde trabajan estas personas.

Isabel: *Me llamo Isabel López, tengo veintitrés años, soy de un pueblo muy pequeño, pero vivo en la ciudad porque trabajo allí. Soy secretaria del director de un banco muy importante. No me gusta mi trabajo.*

Manuel: *Yo soy Manuel Córdoba, vivo en Andalucía, soy camarero del hotel Los Galgos. Quiero ser torero.*

Jaime: *Mi nombre es Jaime y vivo en Barcelona; soy médico y trabajo en el Hospital Militar de esta ciudad. También estudio inglés y alemán.*

Tomás: *Yo me llamo Tomás Alburquerque, soy de San Pedro del Pinatar y vivo y trabajo allí; mi lugar de trabajo es el Ayuntamiento porque soy el alcalde de mi pueblo.*

Jaime	Isabel	Manuel	Tomás

6 Preguntando por sitios.

Oiga, Perdone,	¿Dónde está **el teatro**? ¿Sabe usted dónde está **el teatro**? ¿Cómo puedo ir **al teatro**?
Siga	**recto.** **por esta calle.** Está a la **izquierda.** **derecha.**

Por parejas. **Mira el plano de la página anterior y practica según el modelo.**

- La comisaría.
- El cine.
- La parada del autobús.
- El banco.
- El parque.

II. ¿Está muy lejos?

Practica por parejas **con este plano.** **1**

> Perdone, ¿dónde está el hospital más cercano?
>
> Siga por esta calle. Después tome / gire en la segunda calle a la derecha. El hospital está a la izquierda.

> ¿Está muy lejos / cerca el teatro?
>
> Sí, está muy lejos.
> No, está muy cerca, a unos **diez** minutos.

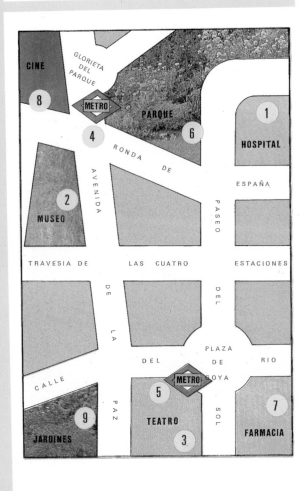

Según este modelo, pregunta a tu compañero/a **2**
por sitios de tu ciudad.

¿Cuál es el mejor sitio para que esté... **3**

- una piscina
- un restaurante barato
- una librería
- un buen hotel
- una oficina de Turismo
- un supermercado
- un parque

?

Por parejas. **Practica según el modelo.** **4**

> ¿Oiga, sabe dónde hay una piscina?
> ▷ Primera calle a la izquierda.
> ¿Está cerca?
> ▷ Sí, a unos cinco minutos de aquí.
> Muchas gracias.

A. **Lee estas instrucciones y síguelas en el plano.**

Usted está en la esquina de la calle Real y la Ronda Sur. Siga por la Ronda Sur: hay un cine a la derecha. Enfrente del cine hay un banco. Gire a la izquierda por la calle Alameda. El supermercado está en la esquina de la calle Alameda y la calle de la Constitución y al lado está la oficina de Correos. El hospital está en la calle de la Constitución, enfrente de Correos y entre un hotel y la estación. El hotel está en la esquina. Siga por la calle de la Constitución. Gire a la derecha en la calle Reyes Católicos. A la izquierda hay una cabina de teléfonos enfrente de una librería. Coja la primera calle a la izquierda, siga recto y allí hay un parque, al final de la Ronda del Sur. El Colegio Sagrada Familia está detrás del parque.

B. **Anota ¿cuál de los sitios señalados en el texto corresponde a cada número?**

- El número 1 es _____
- El número 2 es _____
- El número 3 es _____
- El número 4 es _____
- El número 5 es _____
- El número 6 es _____
- El número 7 es _____
- El número 8 es _____
- El número 9 es _____
- El número 10 es _____

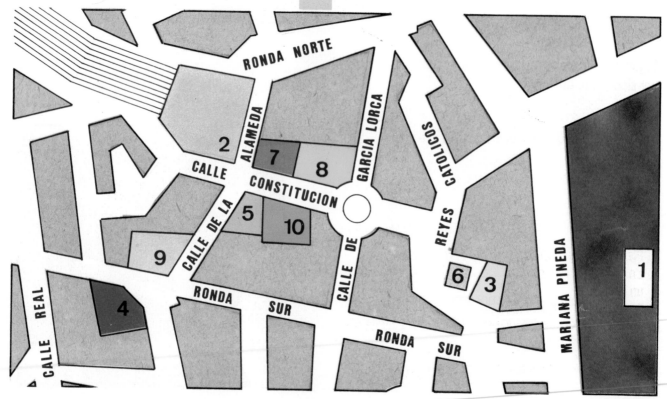

III. Así es mi ciudad.

Lee el texto. **1**

¿Campo o ciudad?

Antonio y Mabel viven en un pueblo pequeño en el campo. El pueblo está cerca de Marbella, una ciudad del sur de España, en la Costa del Sol. El pueblo se llama Mijas y es muy agradable y tranquilo. Sus amigos viven en Madrid, la capital de España. Madrid está en el centro del país, pero es una ciudad industrial, ruidosa y tiene unos cuatro millones de habitantes. Mijas está a más de 500 kilómetros de Madrid. Antonio y Mabel son de Madrid pero ya no quieren volver allí.

Comprueba en el texto anterior. **2**

	V	F
1. Madrid está al norte de Mijas.		
2. Mijas es una ciudad industrial.		
3. Madrid está cerca de Marbella.		
4. Antonio y Mabel quieren volver a Madrid.		
5. Madrid está al lado del mar.		

Describe tu ciudad. **3**

A   *En mi ciudad hay dos cines.*
B   *Mi ciudad es antigua.*
C

El	parque		bonito/-a
La	barrios	es	tranquilo/-a
Los	iglesia		agradable
Las	calles		nuevo/-a
	cine	son	alto/-os
	discotecas		ruidoso/-as

Así es mi parque **4**

A. Piensa en tres palabras relacionadas con un parque.
B. En grupos de cuatro-seis, unid todas las ideas dibujando un parque.
C. Describidlo al resto de la clase.
D. Adivina cómo es el parque ideal del profesor/a. Pregúntale.

Consulta al profesor o estudia por ti mismo.   Pág. 169

39

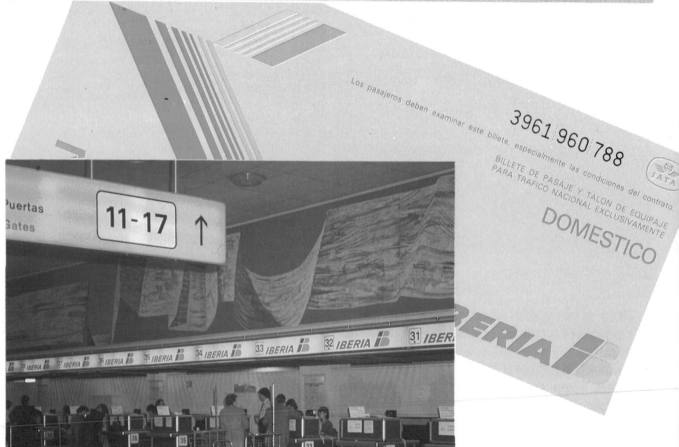

Los pasajeros deben examinar este billete, especialmente las condiciones del contrato.

3961 960 788

BILLETE DE PASAJE Y TALON DE EQUIPAJE
PARA TRAFICO NACIONAL EXCLUSIVAMENTE

DOMESTICO

I. Iberia, vuelo 748.

Escucha. **1** 📼

(En casa)

José: ¿Qué hora es?

Amalia: Las ocho. No, las ocho y cinco. ¡Ya son las ocho y cinco!

José: Pues a las ocho y media sale el tren para el aeropuerto.

Amalia: ...Y el avión sale a las diez menos cuarto. ¡Date prisa!

José: Yo ya estoy listo. ¿Llamo un taxi por teléfono?

Amalia: Sí, llámalo. Yo acabo en cinco minutos.

(En el aeropuerto)

Pepe: Disculpe, ¿podría decirme la hora, por favor? Es que...

Amalia: ¡Hola, Pepe! ¿Pero tú por aquí? Pues son las nueve menos cuarto. ¿Y a dónde vas?

Pepe: A la India.

Amalia: ¡Caramba! A la India. ¡Qué interesante! ¿A qué hora sale tu avión?

Pepe: No lo sé. Lleva mucho retraso.

Amalia: ¡Qué mala suerte!

Pepe: No, no tengo prisa. Hoy salgo de Madrid y mañana martes llego a Nueva Delhi; por la mañana, a las once, creo.

Amalia: ¡Cuántas horas!

Pepe: Catorce horas de avión. ¡Más los retrasos y la diferencia de hora!

Amalia: Bueno, Pepe, se hace tarde y tenemos prisa. ¡Buen viaje y suerte!

Pepe: Buen viaje a los dos. Adiós.

Lee el diálogo **anterior y marca V** (verdadero) **o F** (falso). **2**

	V	F
1. Amalia habla con su esposo en el aeropuerto.		
2. Amalia viaja a la India.		
3. Pepe pregunta la hora.		
4. El viaje a Nueva Delhi dura catorce horas.		
5. El avión a Nueva Delhi no lleva retraso.		
6. Amalia y su marido llegan con retraso al aeropuerto.		

3 Escucha el diálogo y pon un círculo en los números de vuelo y a las horas que aparezcan.

Horario de salidas

Compañía/número de vuelo	Destino	Embarque	Salida	Puerta
IB 748	Nueva York	8,40	9,20	1
SWISSAIR 841	Zurich	15,30	15,50	4
TWA 538	Miami	9,15	9,45	2
ALITALIA 321	Roma	10,25	10,55	7
AVIACO 273	Frankfurt	22,15	22,35	5
BA 749	Londres	12,30	12,55	3
SAS 862	Estocolmo	15,20	15,40	6
LUFTHANSA 532	Munich	16,40	17,05	5
AIR FRANCE 745	París	16,35	16,50	6

4 Mira el panel de vuelos del ejercicio anterior. **Forma frases así.**

El vuelo **Aviaco 273** sale a las **22,35.**

5 Copia el panel de vuelos y cambia el horario de salidas. Pregunta a tu compañero/a.

▶ *¿A qué hora sale el vuelo Iberia 748?*
▷ *El vuelo Iberia 748 sale a las 9,20.*

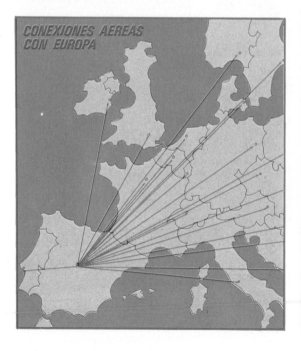

42

II. ¿Qué hora es?

Averigua qué relojes marcan estas horas. **1**

1,00	La una	
1,10	La una y diez	
2,15	Las dos y cuarto	
2,30	Las dos y media	
5,40	Las cinco cuarenta Las seis menos veinte	
6,45	Las seis cuarenta y cinco Las siete menos cuarto	
12,00	Las doce Mediodía	
24,00	Medianoche	

Observa el mapa y forma frases según el modelo. **2**

Cuando en **Madrid** son las seis de la tarde en **Nueva York** son las once de la noche.

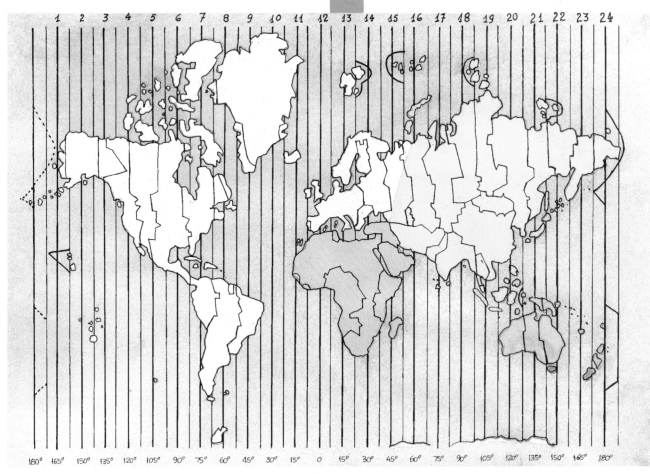

02		(02) FEBRERO 1986		Dominante
1	Sa			
2	Do		Semana 6	
3	Lu	Ts:34 9,30 : Banco		
4	Ma	Cita a las 16,15		Telefonear
5	Mi		19,00 : GIMNASIA	
6	Ju	CENA a las 10,00 con los Pérez		
7	Vi	11,45 : Reunión de empresa		
8	Sa	TENIS (11,30)		
9	Do		Viaje a la montaña.	
10	Lu	Ts:41	Semana 7	
11	Ma			Escribir
12	Mi	CENIZA		
13	Ju			
14	Vi			
15	Sa			
16	Do		Semana 8	Visitar
17	Lu	Ts:48		
18	Ma			
19	Mi			
20	Ju			
21	Vi			
22	Sa			Hacer
23	Do		Semana 9	
24	Lu	Ts:55		
25	Ma			
26	Mi			
27	Ju			
28	Vi			Cobrar

3 Mira la agenda de Luis y practica con tu pareja.

▶ ¿Qué hace Luis **el lunes** a las nueve y media?
▷ **El lunes a las nueve y media** Luis **va al banco.**

4 Usa tus ideas. Copia la agenda de Luis y rellénala con tus ocupaciones de la semana. Pregunta a tu compañero/a y descubre sus ocupaciones.

Ocupaciones de la semana		
	Tú	Tu compañero/a
Lunes		
Martes		
Miércoles		
Jueves		
Viernes		
Sábado		
Domingo		

III. Fechas.

1 Agrupa los meses del año según el tiempo en tu país.

1	**2**	**3**	**4**	**5**	**6**
Enero	Febrero	Marzo	Abril	Mayo	Junio

7	**8**	**9**
Julio	Agosto	Septiembre

10	**11**	**12**
Octubre	Noviembre	Diciembre

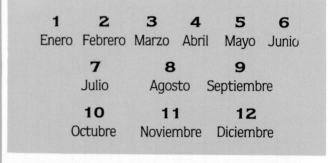

AYER	HOY	por la mañana al mediodía por la tarde por la noche	MAÑANA

Practica por parejas. **Piensa una fecha, por ejemplo:** **2**

Veinticinco

A ▶ *¿Qué día es el **veinticinco**?*
    ¿De qué mes?

  ▷ *Es **lunes, veinticinco** de **enero**.*

B ▶ *Hoy es **martes veintiséis**. ¿Y* | ayer
                                            mañana | *?*

  ▷ *Ayer **veinticinco**, y mañana **veintisiete**.*

Lee estas fechas. **3**

2 - 12 - 1985
11 - 9 - 1986
 4 - 2 - 1956
27 - 6 - 1867
23 - 1 - 1975
19 - 10 - 1880

¿Qué hace Juan cada día? Escucha y completa. **4**

| Juan | se levanta
come
va a la oficina
entra por la tarde
se acuesta | a las | |

¿Recuerdas una fecha importante de tu vida? Escríbela en el cuadro. Luego complétalo preguntando a tus compañeros. **5**

	Año	Mes	Día	Hora
1				
2				
3				
4				
5				

Consulta al profesor o estudia por ti mismo. Pág. 170

I. ¿Cuáles son tus preferencias?

Observa. . **1**

¡Me encanta el mar!

Me gusta hacer fotos

No me gusta conducir

¡Odio el fútbol!

Escucha y numera estas cuatro tarjetas según lo que oyes. **2** 🔘🔘

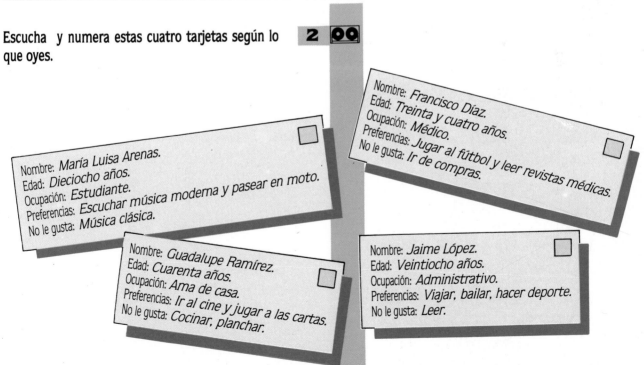

Nombre: *Francisco Díaz.*
Edad: *Treinta y cuatro años.*
Ocupación: *Médico.*
Preferencias: *Jugar al fútbol y leer revistas médicas.*
No le gusta: *Ir de compras.*

Nombre: *María Luisa Arenas.*
Edad: *Dieciocho años.*
Ocupación: *Estudiante.*
Preferencias: *Escuchar música moderna y pasear en moto.*
No le gusta: *Música clásica.*

Nombre: *Guadalupe Ramírez.*
Edad: *Cuarenta años.*
Ocupación: *Ama de casa.*
Preferencias: *Ir al cine y jugar a las cartas.*
No le gusta: *Cocinar, planchar.*

Nombre: *Jaime López.*
Edad: *Veintiocho años.*
Ocupación: *Administrativo.*
Preferencias: *Viajar, bailar, hacer deporte.*
No le gusta: *Leer.*

3 ¿Cuáles son tus preferencias? Anótalo.

	Me encanta	Me gusta	No me gusta	Lo odio
1. Nadar				
2. Bailar				
3. Ir al fútbol				
4. Ir de compras				
5. Comer fuera				
6. Hacer fotos				
7. Pasear				
8. Jugar al tenis				
9. Viajar				
10. Leer				
11. Pintar				
12. Ver la TV				
13. Vivir en el campo				
14. Ir a la discoteca				
15. Oír música clásica				
16. Ir al cine				
17. Ver el vídeo				

▶ *¿Te gusta?*
▶ *¿Qué te gusta...?*

▷ *Me gusta...*
▷ *Me encanta...*
▷ *No me gusta...*
▷ *Lo odio.*

4 Copia la encuesta y rellénala preguntando a tu compañero/a.

48

Encuentra a tres personas de la clase a quienes les guste... 5

	Nombres	Apellidos	Mucho	Poco
Hacer fotos				
Jugar al tenis				
Ir al cine				
Oír música clásica				

II. Estás invitado.

Por parejas. Invita a tu compañero/a. 1

▷ ¿Te gustaría ▷ ¿Quieres	venir al ir a	cine? teatro? mi casa? pasear? bailar?	▷ *Sí, estupendo* ▷ *Me parece una buena idea* ▷ *Sí, gracias*

Escucha y averigua: ¿Qué dice Carmen para no aceptar? 2

(Por teléfono)

Luis: *Hola, Carmen, ¿te gustaría venir mañana por la mañana a jugar al tenis?*

Carmen: *Me encantaría, pero por las mañanas hago gimnasia rítmica y corro.*

Luis: *¿Quieres venir por la tarde?*

Carmen: *Lo siento, no me apetece. Prefiero ir a la discoteca.*

Por parejas. Tu compañero/a te invita. Tu rechazas la invitación. 3

▷ *No, gracias.*
▷ *Me encantaría, pero...*
▷ *Lo siento, no me apetece.*

FJCR
FUNDACIÓN COLEGIO DEL REY
presenta

don Juan
en Alcalá

1 y 2 de noviembre de 1985

ALCALÁ DE HENARES

II Representaciones itinerantes de

DON JUAN TENORIO
de José Zorrilla

MANUEL GALLARDO
MARIA CASAL
con la colaboración especial de
MARY SANTPERE
y RAFAEL RAMOS DE CASTRO
en el papel de Don Luis Mejía

Espacios escénicos y ambientación
JAVIER NAVARRO

Dirección
ANTONIO GUIRAU

y los grupos ALBORADA, CORAL FEMENINA
VIRGEN DEL VAL, EDELWEIS, GRITA,
HORIZONTE, K-M 30, QUINTETO
RENACENTISTA, SCHOLA
CANTORIUM de Alcalá de Henares,
TEJA, TELA, TELEMACO y TIA.

Colaboran:
MINISTERIO DE CULTURA
COMUNIDAD DE MADRID

Comienzo de las representaciones
a las 20 horas en la Plaza de Cervantes

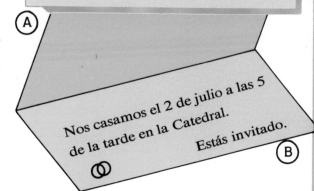

A

IV Congreso Nacional de Lingüistas.

Murcia, del 5 al 8 de enero de 1986

Nos casamos el 2 de julio a las 5
de la tarde en la Catedral.

Estás invitado.

B

Reunión de todos los vecinos,
el jueves a las 20.30.

Edificio Plaza

El Presidente.

C

El día 25 es mi cumpleaños.
Te espero a las 9.00 en mi casa
¿Puedes venir?
Ana

D

4 Lee estas invitaciones. ¿Qué tarjeta nos invita a...

● una boda? ☐
● una fiesta privada? ☐
● un Congreso? ☐
● una reunión de vecinos? ☐

5 Completa estas invitaciones.

> Mañana, 25, ___ las 19,15 de ___
> ___ *Concierto de violín y piano*
> ___ la sala de la FER.

> ¿Te ___ venir? Carmen y yo vamos.
> Te ___ en la FER ___
>   Juan,

6 Escribe una tarjeta de invitación a un amigo/a.

III. Contamos contigo.

1 ¿Cuál es tu deporte favorito?

Fútbol	Gimnasia	Ciclismo
Baloncesto	Natación	Kárate
Esquí	Atletismo	Motocrós

2 Escucha y lee.

Luis: *Hola, Juan, ¿quieres venir a jugar al tenis mañana por la mañana?*

Juan: *No me gusta el tenis. Prefiero practicar el golf y el baloncesto. ¿Te apetece venir conmigo esta tarde al club de golf?*

Luis: *Me encantaría. ¿Dónde está ese club?, ¿está en la ciudad?*

Juan: *No, está algo lejos de aquí. Por la carretera de Madrid, a la altura de Molina. Quedamos a las tres y media, esta tarde en mi casa, ¿de acuerdo?*

Luis: *De acuerdo. A las tres y media en tu casa.*

Señala los deportes mencionados en el texto **anterior.** **3**

1. _____
2. _____
3. _____

Tarde deportiva. Escucha la radio y averigua de qué deporte están hablando. **4** 👀

1. _____
2. _____
3. _____
4. _____

Por parejas. **Pregunta a tu compañero/a.** **5**

▷ ¿Quieres	jugar al hacer practicar el/la	**?**	esquí gimnasia tenis golf baloncesto fútbol
▷ Me encantaría. Pero prefiero el/la			

Estación de esquí. Sierra Nevada.

A. Invita a tu compañero/a a pasar el domingo en uno de estos lugares. **6**

B. Elige tú un lugar para pasar el día y encuentra a dos compañeros/as para acompañarte.

Fuera de clase. **Busca información sobre:** **7** ✍

A. ¿Cuáles son los deportes favoritos de tus amigos?
B. ¿Qué deportes se practican en tu ciudad?
C. ¿Cuántas instalaciones deportivas hay en tu barrio?

Campo de fútbol
San Mamés

Polideportivo
Zaragoza

Consulta al profesor o estudia por ti mismo. Pág. 171

I. Hace buen tiempo

Pon el número del dibujo que corresponde a cada palabra. **1**

- nieve
- sol
- tiempo templado
- tiempo cálido
- nubes
- lluvia
- frío
- heladas
- fresco

Relaciona las palabras con los dibujos. **2**

1. Buen tiempo
2. Aire
3. Mal tiempo
4. Lluvia
5. Frío
6. Sol
7. Calor

Escucha las noticias de la radio. **3**

El tiempo hoy: *Llueve en el Norte, con temperaturas suaves y nubes bajas. En la zona centro y Extremadura hay nubes y claros. En Cataluña el cielo está cubierto, con vientos fuertes en la costa. En Andalucía hace sol y las temperaturas son agradables. Nieblas en la costa levantina, principalmente al lado del mar.*

Mañana: *Tiempo en general sin grandes cambios. Ligero aumento de la nubosidad en la costa mediterránea y nubes y claros en Andalucía.*

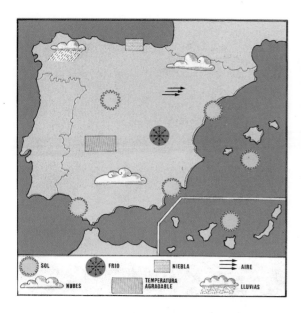

invierno • nieve • lluvia • sol • calor • mal tiempo • bueno • buen tiempo • viento • frío • verano.

4 Señala en este mapa de España las regiones en que...

llueve
hace sol
hace aire
está nublado
hay temperaturas agradables
hace frío
hay nieblas

5 Pon en cada columna las palabras adecuadas del recuadro.

Hay	Es	Hace

II. A cinco grados bajo cero.

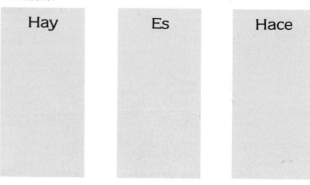

1 Escucha el diálogo.

¿Cómo es el clima en Argentina?

▶ *El tiempo es horrible. No podemos salir de casa. Yo quiero ir de vacaciones...; ¡a tomar el sol!*
▷ *En invierno es difícil tomar el sol aquí...*
▶ *No es muy difícil donde el invierno es verano...*
▷ *¿Cómo? ¿El invierno, verano? ¿Qué dices?*
▶ *Sí. Ahora en Argentina, por ejemplo, es verano. Sus Navidades no son de nieve, sino de sol.*
  Podemos ir a Argentina a bañarnos, sin esta molesta lluvia, sin nieve en las calles, sin este frío de cinco grados bajo cero...
▷ *¡Estupendo! Vamos a donde el invierno es verano...*
▶ *Pero el viaje es un poco caro...*
▷ *¿Sí? ¡Pues al mal tiempo buena cara!*

Fiesta popular en Argentina a finales de noviembre.

Marca según el diálogo anterior. **2**

1. **Estas personas viven en**
   - ☐ Noruega
   - ☐ Marruecos
   - ☐ Australia
   - ☐ Italia
   - ☐ Colombia
   - ☐ India

2. **En su país HAY/HACE**
   - ☐ lluvia
   - ☐ nieve
   - ☐ sol
   - ☐ aire
   - ☐ hielo
   - ☐ nieblas
   - ☐ temperaturas suaves

3. **Están en**
   - ☐ primavera
   - ☐ verano
   - ☐ otoño
   - ☐ invierno

Explica este mapa. **3**

Ejemplo: *En Inglaterra llueve mucho.*

¿Qué tiempo hace hoy? Escribe ocho frases. **4**

MAPA CLIMATICO

Símbolos indicativos

PRECIPITACIONES
en mm. por año
(media anual)

1. De 2.000 a 5.000
2. De 1.000 a 2.000
3. De 0 a 300

CLIMAS TEMPLADOS
4. CLIMA OCEANICO
5. CLIMA MEDITERRANEO
6. CLIMA CONTINENTAL
7. CLIMA CHINO

CLIMAS FRIOS
8. CLIMA POLAR
9. CLIMA DE MONTAÑA

CLIMAS CALIDOS
10. CLIMA DESERTICO CALIDO
11. CLIMA TROPICAL
12. CLIMA ECUATORIAL
13. CLIMA DESERTICO FRESCO

5 En grupo. Pregunta y responde mirando el mapa de la página anterior:

A. ▶ ¿Qué tiempo hace en Inglaterra?
    ▷ Generalmente hace mal tiempo.

B. ▶ En Argentina hace calor en enero.

6 Escribe a un amigo informando sobre el tiempo en el lugar donde vives.

III. Llueve

1 Lee.

> La Tierra de Fuego está al sur de la Argentina. Tiene temperaturas muy bajas durante todo el año: primavera, verano, otoño e invierno. La nieve y el hielo, los vientos fríos y húmedos del Polo Sur, helados, son la •norma de estas tierras. No es una región de volcanes, de calor, a pesar de su nombre, Tierra de Fuego. El nombre fue dado por Magallanes, en su vuelta al mundo, a causa de las muchas hogueras encontradas a lo largo de la costa.

2 A. Mira el mapa de la página anterior y explica dónde está situada la Tierra de Fuego.

B. Pregunta al profesor o busca en el diccionario las palabras que no entiendas en el texto anterior.

3 Consulta el diccionario. ¿Cuántos tiempos hay?

Tiempo compuesto, el formado con el participio o el infinitivo del verbo que se conjuga y el auxiliar *haber.*
Tiempo litúrgico, cada período designado por la iglesia, dentro del año, para fines religiosos.
Tiempo medio, el que se mide por el movimiento uniforme de un astro ficticio que recorre el Ecuador celeste en el mismo tiempo que el sol verdadero la eclíptica.
Tiempo pascual, en liturgia, el que comienza en las vísperas de Sábado Santo y acaba con la nona antes del domingo de la Santísima Trinidad.
Tiempo de pasión, en liturgia, el que comienza en las vísperas del domingo de pasión y acaba con la nona del Sábado Santo.

tiem•po [tiémpo] *s/m* **1.** Duración de una acción: *El atleta X hizo el mejor tiempo.* **2.** Epoca, período caracterizado por registrarse alguna cosa o por determinadas condiciones: *Esto ocurrió en tiempo de los Reyes Católicos (...)* **7.** Estado atmosférico: *Mañana hará mal tiempo.* **8.** Tiempo disponible: *Ahora no tengo tiempo (...)* LOC A **mal tiempo, buena cara,** refrán con que se aconseja que en las situaciones difíciles se haga un esfuerzo por mantener la calma o el buen estado de ánimo. **A su tiempo,** oportunamente: *A su tiempo te comunicaré la noticia (...)*

Completa el cuadro. **4**

Llover	Llueve

llover	nevar	preferir		tener	poder
	nieva		siente		
lluvia		—	—	—	—

A. Escucha y repite. **5**

B. Escucha y escribe.

A. **Elige el tiempo adecuado para cada actividad.** **6**

B. **¿Qué actividades harías en...**

- primavera?
- verano?
- otoño?
- invierno?

C. **¿Cuál de ellas prefieres? ¿Por qué?**

D. **Pregunta a tu compañero/a.**

Actividad	Tiempo
bañarse	lluvia
esquiar	tormenta
leer	aire
pasear	nieve
viajar	sol
escuchar música	nublado
jugar al golf	nieblas
comer al aire libre	frío
tomar el sol	agradable
ir en bicicleta	heladas

I. La ropa es cara.

1 ¿Cuánto cuesta...? Anótalo.

- El pantalón ——————————
- La falda ——————————
- La chaqueta ——————————
- El traje de caballero ——————————
- La gabardina ——————————
- El vestido ——————————
- El jersey ——————————
- La camisa ——————————
- El abrigo ——————————
- La corbata ——————————
- Los zapatos ——————————
- Los calcetines ——————————

2 A. Escucha el diálogo

Vendedor: *¿Qué desea, por favor?*
  Cliente: *Desearía comprar una falda.*
Vendedor: *¿Cómo la desea?*
  Cliente: *La quiero moderna, de color claro y alegre.*
Vendedor: *Muy bien. Vamos a ver... Este modelo es muy actual. Es un rosa claro.*
  Cliente: *Sí, pero no va bien con mi blusa amarilla. ¿Tienen ustedes un color blanco?*
Vendedor: *Veamos... Aquí... ¿Cuál es su talla?*
  Cliente: *La cuarenta y dos.*
Vendedor: *Precisamente la tenemos. Este modelo está muy bien de precio.*
  Cliente: *¿Puedo probármela?*
Vendedor: *Naturalmente. A la derecha tiene usted el probador.*

B. ¿Qué desea comprar la cliente y cómo lo quiere?

Artículo:	falda ● blusa ● jersey ● traje
Color:	marrón ● verde oscuro ● blanco ● azul
Talla:	29 ● 39 ● 42 ● 37
Precio:	muy barato ● normal ● alto ● caro

3 Coloca la frase apropiada para cada dibujo.

▶ *¿Qué desea, por favor?*
▶ *¿Cómo la desea?*
▶ *La quiero verde.*
▶ *¿Cuál es su talla?*
▶ *Desearía comprar una falda.*
▶ *¿Cuánto cuesta?*
▶ *Esta es muy barata.*

4 Viste a estos personajes.

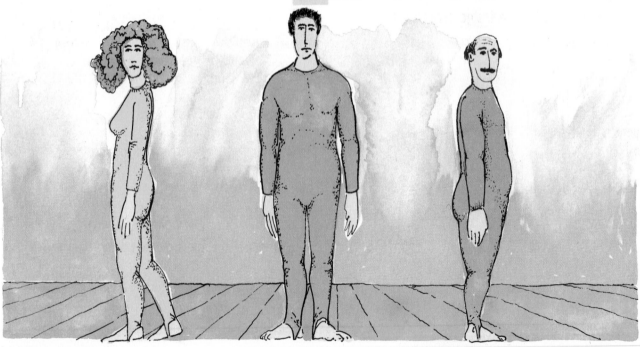

Nina se prepara para una fiesta.

Juan necesita ropa de diario.

El señor Hermida tiene una reunión de empresa.

II. ¿Desea algo, caballero?

Elige la frase apropiada para cada letrero. **1**

- Los artículos no son caros.
- Hay prendas de vestir sólo para hombres.
- Artículos de moda.
- Sólo se venden zapatos.
- Hay ropa, calzado y otras muchas cosas.
- Habitación para probar la ropa.
- Se hacèn trajes a medida.

Escucha y completa la conversación. **2**

- ¿ _____ algo, caballero?
- ▷ Unos zapatos. Los _____ negros.
- ¿ _____ número gasta?
- ▷ _____ cuarenta.
- Aquí _____ varios modelos.
- ▷ ¿ _____ de enseñarme aquéllos? Sí, los de _____
- Aquí están _____ usted probar _____
- ▷ El izquierdo me _____ un poco grande. ¿ _____ el treinta y nueve?
- Naturalmente _____ los tiene.
- ▷ Estos no _____ Me quedan demasiado _____ ¿Puedo _____ otro modelo?

Para pedir algo, el cliente dice: **3**

1. ▷ _Querría unos zapatos negros._
2. ▷ _____
3. ▷ _____
4. ▷ _____

Practica con tu compañero/a. Estás en unos almacenes. Compra alguno de estos artículos. **4**

Tú	Tu compañero/a
▶ ¿Qué desea?	▷ Desearía comprar
▶ ¿Cómo ⎧la / las quiere? / los⎭	▷ ⎧La / Las quiero / Los⎭
▶ ¿Cuál es su talla/número?	▷ Es la/el
▶ Aquí ⎧la / las tiene / los⎭	▷ ¿Cuánto cuesta?
▶ ¿Desea algo más?	▷ No, gracias

1 Lee y explica.

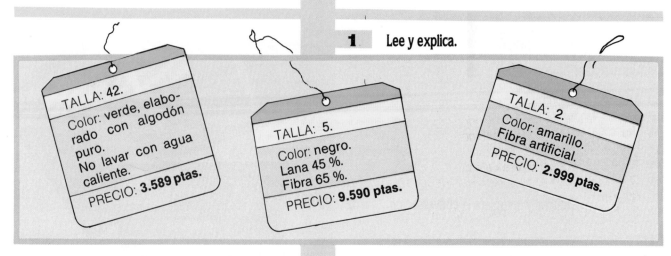

TALLA: 42.
Color: verde, elaborado con algodón puro.
No lavar con agua caliente.
PRECIO: **3.589 ptas.**

TALLA: 5.
Color: negro.
Lana 45 %.
Fibra 65 %.
PRECIO: **9.590 ptas.**

TALLA: 2.
Color: amarillo.
Fibra artificial.
PRECIO: **2.999 ptas.**

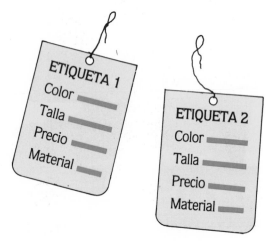

ETIQUETA 1
Color _____
Talla _____
Precio _____
Material _____

ETIQUETA 2
Color _____
Talla _____
Precio _____
Material _____

2 Completa cada etiqueta con esta información.

- El número 2 es un pantalón de caballero.
- La camisa cuesta 4.520 pesetas.
- El pantalón no es de algodón pero la camisa sí.
- El pantalón cuesta 580 pesetas menos que la camisa.
- La camisa es la talla 36 de señora.
- El artículo número 2 está hecho de fibra artificial.
- El pantalón es dos tallas más que la camisa.

3 Tres definiciones para tres palabras.

A. **Lee.**

☐ Probador
☐ Fibra
☐ Escote

B. **Escribe tres definiciones con tus propias palabras.**

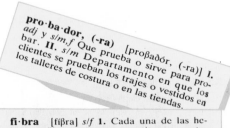

pro·ba·dor, (-ra) [proβaðór, (-ra)] *adj* y *s/m.f* **I.** Que prueba o sirve para probar. **II.** *s/m* Departamento en que los clientes se prueban los trajes o vestidos en los talleres de costura o en las tiendas.

fi·bra [fíβra] *s/f* **1.** Cada una de las hebras o filamentos que constituyen un tejido orgánico vegetal o animal. **2.** Cada uno de los filamentos que componen un tejido textil; también se aplica a los de otras materias, como los del amianto, etc. **3.** Filamento obtenido por procedimiento químico y de uso en la industria, especialmente la textil: *Este tejido es mitad lana y mitad fibra.* **4.** BOT Cada una de las raicillas de una planta. **5.** FIG Capacidad de de-

es·co·te [eskóte] *s/m* **1.** Corte hecho en el cuello a un vestido o prenda de vestir. **2.** Parte del cuerpo que deja al descubierto el escote del vestido o prenda: *Esta mujer tiene un escote hermosísimo.* **3.** (A escote) Parte del precio total de una cosa que le

Desear	Deseo	Desearía
Querer	Quiero	Querría
Hacer	Hago	Haría

- ¿ _____ ver algo, señora?
- Sí _____ probarme un abrigo negro.
- ¿ _____ el favor de decirme el precio?
- ¿Setenta mil pesetas? No lo _____ tan caro.
- Si _____ podemos enseñarle otro.
- Sí, _____ este otro. Pero es todavía más caro. ¿Lo rebajan?
- De acuerdo. Lo _____ por usted.

¿Cómo se llaman las modelos? Escucha y anótalo. **5** ◉◉

A _____
B _____
C _____

(A) (B) (C)

Describe de forma similar la ropa de tus compañeros/as. **6**

¡A divertirse!

Sopa de letras

O	G	R	I	S	E
T	R	O	S	D	A
L	A	V	R	C	R
U	S	E	L	A	T
Z	V	R	O	J	O
A	I	D	E	A	S

Busca cuatro colores

▶ ¿Desean sol, playa...?
▷ No. ¡Solamente un país sin verbos irregulares!

I. Todo está más caro.

Consulta la lista y averigua. **1**

- 1/2 kilo de tomates y un kilo de manzanas cuestan
- 1/4 kilo de pescado cuesta
- Dos kilo de chuletas cuestan
- El kilo de queso está a
- Dos litros de vino valen
- Las patatas están a _____ el kilo.
- Dos botellas de cerveza cuestan
- 1/2 kilo de peras cuesta

> 1/4: Un cuarto
> 1/2: (Un) medio
> Uno: Un(o)

A. ¿Qué comprarías en el mercado para... **2**

- ir de camping a la montaña?
- dar una fiesta en casa?
- invitar a cenar a unos amigos?

B. En la tienda de arriba tienes que comprar alimentos para preparar la comida de estas personas.

Una joven que mantiene la línea.
Un amante de la buena mesa.
Un vegetariano.
¿Y tú?

Escucha el diálogo. **3**

(Al volver de la compra)

▶ ¡Hola! ¿Qué tal la tarde?
▷ Bien; trabajando todo el tiempo.
▶ Buena idea. Trabaja mucho porque la vida está carísima. He estado en el mercado y vuelvo sin dinero. Las naranjas están a ciento veinte pesetas el kilo; la uva es todavía más cara que las naranjas, a ciento ochenta pesetas el kilo. Traigo manzanas porque son más baratas que las naranjas. Pero son también caras: valen a cien pesetas el kilo. Los plátanos están igual que las manzanas, a cien pesetas el kilo. Traigo algunos.

▷ ¿Y el pescado, cómo está?
▶ Traigo merluza; es más barata que el besugo. Me gustaría comprar lenguado, pero es tan caro como el besugo: vale a dos mil quinientas pesetas el kilo.
▷ Veo que eres muy ahorradora.
▶ Sí, pero vengo sin dinero: me quedan sólo doscientas pesetas.

4 Lee el diálogo anterior y anota.

A. **Precios del día.**

Naranjas ⸺⸺	Merluza ⸺⸺
Uva ⸺⸺	Besugo ⸺⸺
Manzanas ⸺⸺	Lenguado ⸺⸺
Plátanos ⸺⸺	

B. **Pregunta a tu compañero qué está más barato/caro.**

5 Escucha estas conversaciones y contesta: ¿Dónde tienen lugar?

1. ⸺⸺⸺⸺⸺⸺⸺⸺
2. ⸺⸺⸺⸺⸺⸺⸺⸺
3. ⸺⸺⸺⸺⸺⸺⸺⸺
4. ⸺⸺⸺⸺⸺⸺⸺⸺

6 Ordena estos billetes y monedas por su valor.

A. ¿Qué puedes pagar con este dinero? **7**

1. Un billete de 500 pesetas.
Dos billetes de 200 pesetas.
Una moneda de 50 pesetas.
Dos de 5 pesetas.

2. Una moneda de 25 pesetas.
Tres monedas de 5 pesetas.
Una moneda de 1 peseta.

**3. Un billete de 100 pesetas.
Dos monedas de 5 pesetas.**

B. ¿Cuántos billetes y monedas utilizas para pagar...?

1   Un kilo de pescado.
2   Un queso de dos kilos.

II.   ¿Sabe usted dónde hay un banco?

Recuerda   **1**

▶ *Oiga, por favor... ¿Sabe usted **dónde está** el Banco de España?*
▷ *No lo sé, pero **no muy lejos** creo que hay un banco.*
▶ *¿A qué distancia?*
▷ *Muy cerca. Al final de esta calle.*
▶ *Muchas gracias.*

Escucha y completa.   **2** 🔊

▶ *Quisiera ━━━━ dinero. ¿Puede ━━━━ dónde hay un ━━━━?*
▷ *A estas horas todos los ━━━━ están cerrados. Sólo están abiertos hasta las ━━━━*
▶ *¿Y no podría ━━━━ dinero en otro sitio?*
▷ *Pues sí. En una oficina de ━━━━ O quizá en el hotel.*
▶ *Muchas ━━━━*
▷ *De nada.*

A Emilio le gusta ahorrar. Todos los meses ingresa **3** 🔊 dinero en su cuenta corriente. Escucha la conversación y anota cuántas pesetas (en billetes y monedas) ingresa Emilio hoy en su cuenta.

Billetes de	5.000	2.000	1.000	500	200	100	Total

Monedas de	100	50	25	5	1	Total

BNP ESPAÑA

CAMBIO EXCHANGE

CHANGE WECHSEL

BILLETES DE BANCO EXTRANJEROS		COMPRA	VENTA
Dolar U.S.A.	1	128.20	133.01
Dolar Canadiense	1	092.27	95.73
Franco Frances	1	019.83	020.57
Libra Esterlina	1	183.26	190.12
Franco Suizo	1	079.23	082.20
Francos Belgas	100	310.34	321.98
Marco Aleman	1	064.96	067.40
Liras Italianas	100	009.38	009.85
Florin Holandes	1	057.46	059.62
Corona Sueca	1	018.80	019.51
Corona Danesa	1	017.23	017.88
Corona Noruega	1	017.61	018.27
Marco Finlandes	1	026.61	027.60
Chelines Austriacos	100	923.88	955.83
Yens Japoneses	100	085.18	088.27
Escudos Portugueses	100	085.50	088.72

---

4 Rellena este impreso con la cantidad de pesetas que quieres ingresar.

> **IMPRESO DE INGRESO***
> Banco de España
>
> Nombre: _____
> Pesetas (en letra): _____
> Domicilio: _____
> Fecha (en letra): _____
>   Firma
>   _____
>
> * *Se ruega escribir con mayúsculas.*

5 Copia el impreso y rellénalo con los datos de tu compañero/a.

III.   Cambio.

1 Escucha el diálogo, léelo después y completa el impreso.

(Dentro del banco. Sección de Cambio)

Empleado: *Buenos días, ¿qué desea?*
Turista: *Quisiera cambiar cheques de viaje.*
Empleado: *¿Qué moneda tiene usted?*
Turista: *Dólares. Ciento cincuenta dólares. ¿A cómo está el cambio?*
Empleado: *A ciento veintiocho pesetas el dólar. Firme sus cheques, por favor.*
Turista: *También tengo doscientos marcos en billetes. ¿Cuánto vale un marco?*
Empleado: *El marco está a sesenta y cinco pesetas. ¿Quiere cambiar marcos también?*
Turista: *No, gracias. Prefiero esperar la subida.*
Empleado: *Como usted quiera... Aquí tiene su recibo. Pase por Caja, por favor. Ventanilla doce.*
Turista: *De acuerdo. Muchas gracias.*

2 Pregunta y responde a tu compañero/a.

> ▷ *¿A cómo está el marco hoy?*   ▷ *Está a sesenta y cinco pesetas.*
> ▷ *¿Cuánto vale el dólar hoy?*   ▷ *Un dólar vale ciento veintiocho pesetas.*

A. Haz la pregunta adecuada para... **3**

- Saber dónde hay un banco.
- Cambiar dinero en un banco.
- Preguntar por una oficina de cambio.
- Preguntar por el horario de apertura del banco.
- Conocer el valor de la moneda de tu país.
- Cambiar dinero en moneda suelta.

B. Escucha y escribe estas preguntas.

▶ ¿Hay _____ ?
▶ ¿Puede _____ ?
▶ ¿Puede _____ ?
▶ ¿A qué _____ ?
▶ ¿Cuánto _____ ?
▶ ¿Puede usted _____ ?

C. Compara tus preguntas de A con las de B.

A. ¡Bingo! Elige cinco palabras y completa este cartón de bingo. **4**

> pagar • cliente • banco • cheque • cambio •
> moneda • ingreso • domicilio • cuenta corriente
> • empleado • cantidad • pesetas • billete • caja
> • firma

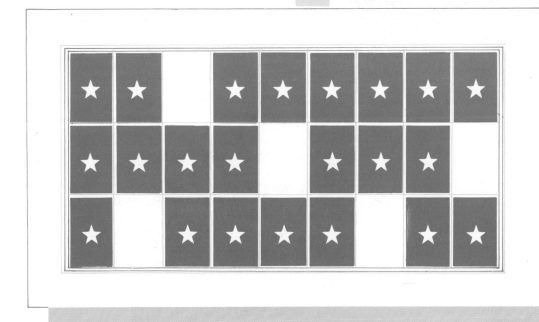

B. Escucha a tu profesor y tacha las palabras que oigas. Si las tachas todas grita «¡Bingo!»

Consulta al profesor o estudia por ti mismo.   Pág. 172

1 El programa de radio *Onda Musical* ofrece todas las semanas un viaje a sus oyentes. Cada semana, miles de oyentes escriben el nombre de su canción preferida en una postal y la envían al programa. Chicho Maravillas, el presentador, elige tres de estas postales: son los ganadores.
Escucha a Chicho Maravillas y anota los nombres y las direcciones de los ganadores de esta semana.

1. Nombre: —————————————————————
   Dirección: ————————— Población: —————
2. Nombre: —————————————————————
   Dirección: ————————— Población: —————
3. Nombre: —————————————————————
   Dirección: ————————— Población: —————

2 Lee el texto y completa la información del cuadro de la página siguiente sobre los tres ganadores del concurso.

Nuestros tres ganadores viven en lugares diferentes:

Maite vive en el centro de Barcelona; no le gustan las casas grandes y tiene un apartamento en alquiler. Está muy bien decorado y hay muchos discos.

La música es también muy importante para Manuel: primero pasea por los alrededores de su gran casa y juega al tenis con sus vecinos; luego lee novelas y escucha música clásica. Es abogado en una empresa de Madrid y gana mucho dinero.

Carmen, sin embargo, trabaja para el Estado, como secretaria en una Oficina de Turismo. Gana poco dinero; pero eso no tiene gran importancia para ella: vive en Marbella, en un piso junto al mar, y puede nadar, pasear y jugar en la arena con los niños. Está divorciada, pero su madre viene algunas veces al piso y le ayuda.

Maite, por el contrario, gasta todo su dinero en viajar. El matrimonio —dice— más tarde. Trabaja como modelo. A Maite y Manuel les gusta la fotografía.

A Maite le gusta también salir por las noches. Manuel prefiere salir de vinos o ir a comer a un restaurante con su mujer y su hijo Jorge. Maite, Manuel y Carmen están muy contentos con el premio de Onda Musical.

	Carmen	Manuel	Maite
Ocupación		Abogado	
Casa			Apartamento
Familia	Dos hijos		
Intereses		Tenis, pasear, leer, música clásica, beber, comer	

3 **Describe a Carmen, Manuel y Maite.**

4 **Haz una descripción similar sobre tu compañero/a.**

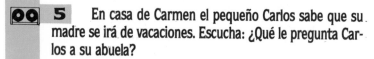

5 **En casa de Carmen el pequeño Carlos sabe que su madre se irá de vacaciones. Escucha: ¿Qué le pregunta Carlos a su abuela?**

▶ *¿Dónde* _____ ?
▶ *¿Cuánto* _____ ?
▶ *¿Nos* _____ ?
▶ *¿Cómo* _____ ?
▶ *¿Será* _____ ?
▶ *¿Qué* _____ ?

6 **Carmen sueña cada día con Brasil. Escúchala y responde a las preguntas de Carlos en el ejercicio anterior.**

▷ _____
▷ _____
▷ _____
▷ _____
▷ _____
▷ _____
▷ _____
▷ _____

II. Seré abogado

Practica con tus compañeros.

> ¿A qué te dedicas?
> Soy **estudiante**.

> ¿Qué harás en el futuro?
> Seré **abogado**.

2

Agrupa estas palabras en tres columnas.

soy • seré • estudiaré • estar • trabajar • vivir • viajarás • vivo • trabajo • viajar • viviremos • estoy • trabajarás • ser • viajas

3

Forma frases según el modelo.

Ejemplo: **Emilio** quiere ser **médico**.

4

Completa estas frases.

- Emilio será médico. _____ en un hospital.
- Isabel será periodista. _____ reportajes.
- Paco será dibujante. _____ cuadros.
- Juan será representante. _____ por todas partes.
- Maite será enfermera. _____ a los enfermos.
- Ana será abogado. _____ leyes.
- Antonio será profesor. _____ en una escuela.

viajará • enseñará • pintará • trabajará • estudiará • cuidará • escribirá

73

5 Lee la carta de Ana. Pon un círculo a las expresiones de futuro.

6 Contesta a Ana por carta.

7 Descubre qué cosas hará tu compañero/a este fin de semana. Invítalo a...

▷ ¿Qué tal si ...?	▷ **No.** Estoy ocupado. No me apetece.
▷ ¿Por qué no ...?	
▷ ¿Vendrás a ...?	▷ **Sí.** Estupendo Buena idea.

	Tú	Tu compañero/a
Ir al cine		
Escuchar música en casa		
Salir a comer		
Pasear por el parque		
Ir de camping		
Visitar monumentos		
Ir a la montaña		
Ir al teatro		
Ver la televisión		
Ir de copas		
Practicar deportes		
Reunión con los amigos		

Granada, 3 de Mayo, 1986

¡Hola!

El curso se acaba el mes que viene y me gustaría pasar las vacaciones en tu casa. Después, si quieres, puedes venir a la mía. Quiero saber si podré quedarme en tu casa durante el mes de Julio. Tampoco sé cómo será la comida —puede que no me guste. Y ¿Qué haré durante el día?, ¿podré bañarme?, ¿y bailar?, ¿podré salir con tus amigos? Escríbeme pronto.

¿Y tú? ¿Pasarás el mes de Agosto en mi casa? Si vienes, Andalucía te gustará mucho. Te espero.

Un beso,

Ana

III. ¿Qué haremos en Brasil?

1 **A.** Rellena este boleto de las quinielas de fútbol. Pregunta a tu compañero/a:

1 ▷ ¿Ganará el **Zaragoza**?
2 ▷ ¿Perderá el **Real Madrid**?
X ▷ ¿Empatarán el **Valladolid** y el **Atlético de Madrid**

B. ¿Qué harás con el dinero si ganas en las quinielas?

comprar	compraré
trabajar	trabajaré
ir	iré
hacer	haré
poder	podré

Nuestros tres ganadores pasarán su semana en Brasil de forma muy distinta. Escucha: ¿Qué hará cada uno?

2 ▣▣

	Carmen	Manuel	Maite
Tomar el sol en la playa			
Intentar no pensar en nada			
Comprar regalos			
Bailar por las noches			
Hacer fotos			
Ver la televisión			
Hacer deporte			
Visitar lugares de interés			
Comprar antigüedades			

Piensa que tú también irás a Brasil. ¿Cómo pasarás tus vacaciones? Escribe siete frases.

3

¿Y tu compañero? Averigua cuáles son los planes de tu compañero/a.

4

Por parejas.

5

A

Tú eres Chicho Maravillas.
Di a B que es uno de los ganadores. Infórmale sobre los detalles del viaje.

▶ Será un viaje maravilloso.
▶ Es usted el(la) ganador(a) del concurso.
▶ A América. A Brasil.
▶ Hará mucho calor.
▶ Podrá bañarse en Río de Janeiro.
▶ ¡Hola! Soy Chicho Maravillas.
▶ Seguro que disfrutará del viaje. ¡Adiós!

B

Eres uno de los ganadores.
Haz preguntas al presentador sobre el premio del programa.

▷ ¿Sí? ¿Dígame?
▷ ¿Dónde iremos?
▷ ¿Cómo será el viaje?
▷ ¡Adiós! y muchas gracias.
▷ ¿Hará buen tiempo?
▷ ¿Podré bañarme?
▷ ¿Cuánto tiempo estaremos allí?

Consulta al profesor o estudia por ti mismo.   Pág. 173

I. ¿Qué tienes que hacer hoy?

1 ¿Qué tienen que hacer en su trabajo?

Ejemplo: *El periodista tiene que buscar noticias.*

¿Qué necesitan estas personas? **2**

Ejemplo: *Pilar necesita unas vacaciones.*

Luis   Alberto   Tomás   Concha   Pilar

¿Qué significan estos símbolos? **3**

Ejemplo: *No debemos fumar.*

Escucha y anota las expresiones de obligación. **4** 🎧

1.
2.
3.
4.

Debo	
Tengo que	trabajar
Necesito	

77

5 Pon necesita, debe, tiene que en estas frases.

▸ ¿ _____ el coche para ir a trabajar?
▸ _____ tomar píldoras para dormir.
▸ Para ir a Australia _____ usted _____ coger el avión.
▸ Para aprobar _____ estudiar más.
▸ _____ dos fotografías para el pasaporte.
▸ _____ guardar cama hasta el lunes.
▸ ¿Dónde _____ firmar?
▸ ¿ _____ mi ayuda?

6 Averigua cuáles son las obligaciones de tu compañero/a.

▸ ¿Necesitas el coche para ir a trabajar?
▸ ¿Tienes que trabajar para vivir?
▸ ¿Debes levantarte temprano por las mañanas?
▸ ¿Tienes que estar en casa antes de las diez?
▸ ¿Necesitas vivir con tu familia?
▸ ¿Debes tomar píldoras para dormir?
▸ ¿Qué tienes que hacer para ser un buen padre?
▸ _____
▸ _____

II. Necesito un trabajo.

1 A Antonio no le gusta su trabajo actual. Necesita encontrar un trabajo distinto. En el periódico de hoy encuentra un anuncio interesante.

2 Lee el anuncio y averigua si Antonio debe...

	Sí	No
Trabajar en Madrid		
Vender regalos		
Escribir pronto		
Viajar mucho		
Visitar tiendas		
Hacer regalos		

3

Antonio y Clara, su mujer, están interesados en el anuncio. Escucha y completa su conversación.

Antonio: ¡Mira! Aquí hay un trabajo interesante.
Clara: ¿_____?
Antonio: Es un trabajo de _____ de artículos de regalo.
Clara: ¿_____ las oficinas?
Antonio: En Madrid, pero tendré que viajar por toda España.
Clara: Bueno, a ti te gusta conducir.
Antonio: ¿Qué te parece si _____ ahora mismo?
Clara: ¡Estupendo! _____ ese trabajo

GRUPO PUBLICIDAD,S.A.
Orense, 267
28020 MADRID   Madrid, 18-1-86

(A la atención del Director General)

   Estimados Sres.:

el _____ de _____ Antonio Castro y estoy interesado en
ustedes anuncian en el periódico. representante de artículos de _____ que
Me _____ mucho hablar con la gente y no me agrada _____
_____ trabajar en una oficina. Por eso, creo que _____ abu
rrido viajar por toda España.
   Tengo un _____ amplio y rápido y me gusta mucho _____

En espera de su respuesta, les saluda atentamente,

Antonio Castro
Antonio Castro
Cavanilles, 47
28007 MADRID

4

Antonio tiene que escribir la carta a la empresa Grupo Publicidad de Madrid. Ayúdale a terminarla.

> tener que • regalo • trabajo • no será • coche •
> conducir • me llamo • gusta

5

¿Qué tiene que hacer esta ama de casa en su trabajo diario?

Despertar a los niños.	2
Preparar el desayuno.	
Llevar los niños al colegio.	
Ir al supermercado.	
Ir al banco.	
Preparar el almuerzo.	
Ir al gimnasio.	
Ir a la clase de español.	
Acostar a los niños.	
Preparar la cena.	

6 ¿Y tú? Describe lo que tienes que hacer en tu ocupación.

III. Debemos cuidar el parque.

1 Esta es la respuesta del Director de la Empresa. Léela y pon un círculo a las expresiones de obligación.

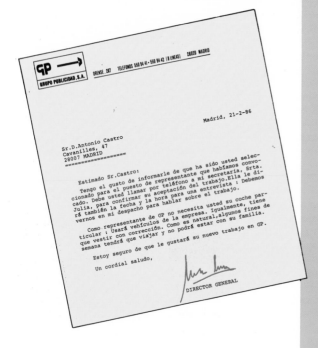

> Estimado Sr.Castro:
>
> Tengo el gusto de informarle de que ha sido usted seleccionado para el puesto de representante que habíamos convocado. Debe usted llamar por teléfono a mí secretaria, Srta. Julia, para confirmar su aceptación del trabajo.Ella le dirá también la fecha y la hora para una entrevista : Debemos vernos en mi despacho para hablar sobre el trabajo.
>
> Como representante de GP no necesita usted su coche particular : Usará vehículos de la empresa. Igualmente, tiene que vestir con corrección. Como es natural,algunos fines de semana tendrá que viajar y no podrá estar con su familia.
>
> Estoy seguro de que le gustará su nuevo trabajo en GP.
>
> Un cordial saludo,

2 Haz una lista con lo que Antonio debe hacer en su nuevo trabajo.

3 El Ayuntamiento de Alicante pide proyectos para construir un parque en este lugar. Anota tus ideas.

Dibuja el parque que a ti te gustaría. **4**

Por parejas. Haz una lista con tu compañero/a con **5**
todo lo que el parque debe/tiene que tener.

Escribe letreros para el parque y explícalos. **6**

Ejemplo: No pisar el césped

La gente no debe
No tenemos que   pisar el césped.
No debemos
No tienes que

Escribe una carta al alcalde de Alicante. Explícale tu **7**
proyecto para el futuro parque.

Sr. Alcalde:

I. ¿Qué sorpresa?

Escucha el diálogo. **1** 🎧

(María dando un regalo a Marta)

María: *¡Feliz cumpleaños, Marta!*
Marta: *Gracias. Me alegro de verte. Gracias por tu regalo. ¿Qué es? Es un paquete muy grande.*
(Lo abre y lo ve). ¡Qué sorpresa! ¡Un jarrón! Es delicadísimo. Es muy bonito. Me gusta muchísimo. Pero será muy caro. María, muchas gracias. ¡Qué contenta estoy!

Lee el diálogo **anterior y averigua. 2**

	Sí	No	No sé
Es el cumpleaños de María			
Marta sabe lo que hay en el paquete			
El jarrón es pequeño			
El jarrón es muy delicado			
A Marta le gusta el regalo			
El jarrón está hecho en China			
El jarrón parece caro			

Observa. 3

¿Qué es?   ¡Qué jarrón!   ¡Qué contenta estoy!

4 Pon ¿ ? o bien ¡ ! a estas expresiones.

qué haces	qué estudias	qué casa
qué bonito	qué alegría	qué película
qué bien	qué lees	qué listo
qué coche	qué simpático	qué dices

5 Escucha el diálogo.

(En el cumpleaños hay más gente y se ve otra pareja)

Javier: *¡Qué fiesta tan bonita! Todo el mundo está muy alegre.*

Amalia: *A mí no me gusta nada. La gente no demuestra lo que siente. ¡Fíjate en este jarrón! Dicen que es precioso, pero es horroroso, feísimo. Además, los jarrones no me interesan.*

Javier: *No vale nada, pero tampoco está mal. ¡Cuidado!*

(El jarrón se rompe y llega Marta)

Amalia: *¡Qué pena! Lo siento mucho, no sé cómo se ha roto.*

Marta: *¡Qué desilusión! Mi único regalo está hecho trozos en el suelo.*

Amalia: *Te compraré otro igual. Estos jarrones son muy buenos y finísimos.*

Marta: *Da igual. No te preocupes.*

6 Lee el diálogo **anterior y subraya las expresiones de enfado, alegría e indiferencia.**

7 Haz frases según los dibujos.

Ejemplo: **¡Qué** coche **tan** moderno!

bueno • guapo • caro • bajo • bonito • gracioso • moderno • rápido • grande • pequeño • divertido • barato • gordo • caliente

II. La música está muy alta.

1 Escucha las conversaciones e identifícalas en los dibujos.

2 Ordena las expresiones de al lado.

+ **Me encanta**

— **Lo odio**

no me gusta • me gusta mucho • me da igual • me agrada • me es indiferente • me desagrada

3 Responde con las expresiones anteriores.

▶ ¿Te gusta

ir al fútbol?
bailar en la discoteca?
leer un libro de filosofía?
pasear por el campo?
bañarte en el mar?
esquiar?
ver la película *Lo que el viento se llevó?*

4 Escucha el diálogo ¿Cuántos adjetivos puedes reconocer?

(La gente se despide)

▶ *Gracias por todo. La fiesta ha sido muy divertida. Todo ha estado muy bien.*

▷ *Gracias a vosotros. Sois muy amables.*

(La madre de Marta a Marta, después de la fiesta)

Madre de Marta: *¿Estás satisfecha de la fiesta?*
Marta: *¡Pss! Pues no mucho.*
Madre de Marta: *Bueno, hija, feliz cumpleaños. Oye, ¡qué sucio está todo!*

5   **Subraya los adjetivos del** diálogo **anterior.**

6   **Observa**

▶ Es **muy** barato/a   ▶ Es baratísimo/a

Mira los dibujos en el ejercicio **de la página 84 y haz frases así:**

Ejemplo:

▶ *El coche es modernísimo*   ▶ *Es **muy** moderno.*

7   **Elige una de estas expresiones.**

▶ *¡Qué grande!*
▶ *¡Qué casa tan grande!*
▶ *¡Esta casa es grandísima, muy grande!*

III.   ¡A divertirse!

1   Ordena estos números.

CIEN   UNO   treinta - y - tres

noventa - y - nueve

t
r
e
s

noventa   cinco   sesenta - y - seis   ocho

nueve   ochenta   doce   cuarenta   veintidós

veinte   catorce   diecisiete   setenta

treinta   dos

dieciocho
i
siete
z

sesenta
c
n
i
cincuenta
q

Sopa de letras. **2**

Busca 10 capitales europeas

Escucha y copia todas las palabras con el sonido b. **3** 🔘🔘

joven
banco

O	M	L	O	C	O	T	S	E	R
S	T	O	G	E	F	N	L	O	I
L	O	N	D	S	E	S	B	N	D
O	L	D	R	T	K	R	O	M	A
F	A	R	A	I	I	D	N	F	M
A	P	E	O	V	I	B	N	O	P
N	M	S	O	R	I	E	A	S	A
E	A	R	D	B	E	R	N	A	R
I	D	A	I	F	O	S	G	T	I
V	M	A	T	E	N	A	S	E	S

Trabalenguas. **4**

El perro de San Roque no tiene rabo porque Ramón Ramírez se lo ha cortado.

Juego: **En busca del tesoro.** **5**

A. **Averigua dónde está el tesoro del profesor. Sigue sus instrucciones.**

B. **Esconde tu tesoro en el mapa. Da instrucciones a tu compañero/a para que pueda encontrarlo.**

Ejemplo:

● *Si estás en el número 6, sigue recto hasta el cruce pasando por el puente.*

Consulta al profesor o estudia por ti mismo. Pág. 174

87

I. Al levantarse.

1 ¿Cómo se llaman estos objetos? Escribe en el recuadro el número correspondiente.

	espejo		cepillo de dientes		toalla
	jabón		cepillo para el pelo		colonia
	cortina		máquina de afeitar		ducha
	peine		agua		bañera
			lavabo		

2 Forma siete frases sobre el dibujo.

El peine		ducharse
El cepillo de dientes		lavarse
El agua		secarse
El jabón	sirve para	mirarse
La toalla		peinarse
El espejo		afeitarse
La ducha		lavarse los dientes
La máquina de afeitar		

3 Ordena los verbos del ejercicio anterior.

Ejemplo: *Primero **me ducho**, después*

4 Escucha la conversación.

(Un matrimonio en la casa)

Ana: *Por favor, Enrique, sal ya del cuarto de baño. Ya llevas más de media hora dentro.*

Enrique: *¡Oye, sin prisas! Mientras me afeito, me lavo los dientes, me ducho, me peino, etcétera, el tiempo vuela. ¡Tú no tienes que afeitarte!*

Ana: *No, pero además de lavarme y asearme, como tú, tengo que maquillarme, vestirme, cepillar los zapatos de los niños, hacer las camas, preparar el desayuno y poner la lavadora.*

89

5 Lee el diálogo **anterior y completa el** texto.

Enrique está en el _____ Ana no tiene que _____ -se, pero antes de ir a trabajar tiene que _____ -se, _____ -se y _____ -se, y hacer otras tareas en la casa como _____ el desayuno, _____ la lavadora, _____ las camas y _____ los zapatos de los niños.

6 A. **Forma grupos de verbos.**

Ejemplo:
Un grupo es: **yendo, leyendo, trayendo.**

sintiendo • ganando • amando • pidiendo •
escribiendo • sabiendo • salvando • viviendo •
trayendo • temiendo • perdiendo • leyendo •
partiendo • yendo

B. **¿Cuál es el grupo con más verbos?**

7 **¿Qué están haciendo?**

ver
trabajar
leer
pedir
escuchar
escribir

II. Vamos a comer.

1 ¿Recuerdas qué hora es?

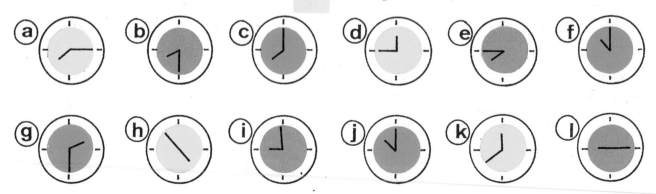

Describe qué hace Emilio cada día. Une las horas con las acciones.

Ejemplo: *Emilio se levanta a las siete.*

7,00 •	• cenar
7,15 •	• comenzar el trabajo
7,45 •	• acostarse
8,30 •	• salir del trabajo
9,00 •	• levantarse
14,30 •	• ir a la cama
15,55 •	• asistir a clase de español
19,00 •	• coger el coche
20,00 •	• pasear por el parque
20,55 •	• hacer gimnasia
21,15 •	• desayunar con su familia
23,00 •	• comer en la cafetería

¿Qué haces tú cada día? Haz una descripción similar.

¿Qué está haciendo Emilio? Haz una lista.

Copia las horas de los relojes de la página anterior y pide información a tu compañero/a.

Ejemplo:
▶ *¿Qué haces a las siete de la mañana?*
▶ *¿A qué hora te levantas?*

1 Pregunta a tu compañero/a sobre los datos del gráfico.

Ejemplo:
- ▶ ¿Qué hace Lucas por la tarde?
- ▶ ¿Cuándo acaba Virginia el trabajo?
- ▶ ¿A qué hora se levanta Maite?

	Se levanta	Después del desayuno	Lugar de trabajo	Termina el trabajo	Después del trabajo	Se acuesta
Andrés	7,00	ir al hospital	*La Paz*, Madrid	15,00	cenar con su mujer e hijos	24,00
Virginia	7,30	ir a comprar	hogar	22,00	preparar cena	23,00
Elisa						
Maite	8,15	ir a clase	Facultad de Medicina	13,30	estar con su novio	1,00
Lucas	12,00	escuchar música	—no tiene—		estar con los amigos	3,30

2 Completa estos textos.

Andrés se levanta a las _____ . Toma el desayuno y va al _____ . Trabaja en _____ . A las tres de la _____ acaba el trabajo. Después _____ con su familia y se acuesta a las _____

Maite _____ a las siete y media _____ del desayuno va _____ _____ en su casa durante todo el día. Acaba muy _____ , _____ once. Después de cenar _____ a las doce.

3 Escribe textos similares sobre Virginia y Lucas.

Escucha el diálogo y completa la información sobre Elisa en el gráfico anterior. 4 ◎◎

(Ana en la oficina)

Jefe: *Llega usted tarde a la oficina todas las mañanas. Son ya las nueve y cuarto. El trabajo empieza a las nueve horas.*

Ana: *Lo siento, señor.*

Elisa: *¿Qué te pasa Ana? ¿A qué hora te levantas?*

Ana: *Me levanto a las ocho de la mañana, y no me da tiempo. ¿Tú qué haces por las mañanas?*

Elisa: *Yo me levanto a las siete y hago gimnasia en la alfombra de mi habitación hasta las siete y veinte. Después me ducho con agua fría y me seco el pelo. Desayuno a las ocho menos cuarto aproximadamente, con mi familia. Después me arreglo y a las ocho y media cojo el coche para venir a la oficina. Generalmente llego a las nueve menos diez, y entonces tomo un café o leo un poco el periódico.*

Ana: *¿Cómo pasas el resto del día?*

Elisa: *Salimos del trabajo a las dos. Después como en la cafetería, paseo una hora por el parque de enfrente de la oficina y desde las cuatro hasta las siete trabajamos aquí.*

Ana: *¿Y cuando sales del trabajo?*

Elisa: *Voy a clase de español hasta las nueve. A continuación voy a casa y ceno alrededor de las diez.*

Ana: *¿A qué hora te acuestas?*

Elisa: *Hacia las once u once y media.*

¿Cuál será el horario del jefe de Elisa? Utiliza tus propias ideas. 5

Haz un cuadro similar al de la página anterior. Escribe tu nombre y los nombres de cuatro compañeros de clase. Hazles preguntas y completa tu gráfico. 6

Por ejemplo:

	8,00	10,00	12,30	16,00	17,30	20,00
Darika						
Peter						
Monique						
Alí						
Tú						

Pág. 175

El adelgazar puede ser
como el engordar:
Infusión Adelgazante

COMO NUTRIR LA PIEL DEL ROSTRO...
...efectuando los movimientos adecuados

SI QUIERES VIVIR BIEN
APRENDE A RESPIRAR
PROFUNDAMENTE

EN FORMA
CON JANE FONDA
por Jane Fonda

I. Salud y belleza.

Escucha el diálogo y ordena las imágenes. 1 🔘🔘

(Entrevista a una mujer famosa)

▶ Y dígame. ¿Cómo se conserva tan joven y bella?

▷ La respuesta es muy sencilla. La única manera de estar bella es siendo una persona sana y fuerte.

▶ La salud es lo mejor. Entonces, ¿qué hace usted para estar sana?

▷ Me levanto todos los días bien temprano y hago muchos ejercicios de gimnasia. Muevo los brazos, las piernas, los pies. Hago ejercicios de cuello, moviendo la cabeza para todos los lados. Después me ducho con agua fría y además duermo muchas horas.

Lee el diálogo anterior y completa las palabras que faltan en el dibujo. 2

pie

A. Observa. 3

Pie Pierna Rodilla Brazo Uñas Mano Labios Mejillas Ojos Cara Pelo Codos

B. ¿De qué color están pintados?

4 ¿Qué palabras oyes en el diálogo? Subráyalas.

labios • piernas • uñas • rodillas • cabeza • cara • mano • pelo

5 ¿Qué hace una mujer famosa para estar sana y bella? Señálalo.

Consejos para la salud

☐ No fumar
☐ No comer pasteles
☐ Lavarse cada día
☐ Hacer gimnasia
☐ Comer verduras
☐ No beber alcohol
☐ Dormir mucho
☐ No tener problemas
☐ Trabajar poco

6 ¿Qué haces tú para estar sano/a y fuerte? ¿Y tu compañero/a? Escribe cinco frases.

sa·lud [salúð] *s/f* **1.** Estado de un ser orgánico que no está enfermo y desarrolla con normalidad todas sus funciones: *Es increíble lo que hace, tiene una salud de hierro.* **2.** Condiciones físicas de un organismo en un determinado momento: *Creo que tendrías que cuidarte un poco, tu estado de salud no es muy bueno.* **3.** FIG Estado físico o moral de un ser vivo o colectividad: *La salud de la nación cada vez es más negativa.* **4.** Fórmula de saludo: *¡Salud!* LOC **¡A tu (su, etc.) salud!** o **¡A la salud de...!,** fórmula que se utiliza para brindar. **Beber a la salud de...,** brindar por la persona que se expresa. **Curarse en salud,** prevenirse por anticipado de un mal posible. **Rebosar salud,** gozar de excelente salud. **¡Por la salud de...!,** expresión que se completa con un sustantivo, como 'mi esposa', que se utiliza para rogar, asegurar o jurar una cosa.
SIN **1.** Vitalidad, lozanía, sanidad, robustez.
ANT **1.** Enfermedad.

en·fer·me·dad [emfermeðáð] *s/f* **1.** Alteración del funcionamiento de alguna parte del organismo: *Tiene una enfermedad del hígado.* **2.** FIG Cualquier alteración que perturba el buen funcionamiento de algo: *El desempleo es la enfermedad de la sociedad actual.*

II. Salud y enfermedad.

1 Recuerda. Juego: Simón dice.

Obedéce sólo si la frase empieza por «Simón dice»:

Por ejemplo: *Simón dice: tócate la nariz.*

Escucha el diálogo y agrupa las palabras de la derecha según la proximidad del significado. 2

Papá: *Hola, hijo. ¿Cómo te encuentras hoy?*
Hijo: *Me duele mucho el pecho, los riñones y la cabeza.*
Papá: *¿Te has puesto el termómetro para comprobar la fiebre?*
Hijo: *Sí, tengo treinta y nueve grados y no me baja.*
Papá: *Bueno, iremos mañana al ambulatorio, a la consulta del doctor López.*

termómetro • inyección • receta • especialista • pastillas • temperatura • pulso • consulta • medicina • enfermera • treinta y nueve grados • doctor • gripe • resfriado • fiebre

Escucha y completa el cuadro. 3

¿Qué le duele al hijo?

Dr. López: *Hola. ¿Qué le duele a este enfermo?*
Niño: *Me duele todo. Tengo dolor de cabeza, de piernas, de garganta...*
Dr. López: *¿Te duele la espalda?* (Señala la espalda.)
Niño: *Sí.*
Dr. López: *A ver. Respira hondo. Así, suelta el aire despacio. Muy bien. Otra vez. Eso es. No tienes nada grave, sólo una gripe muy fuerte. Te recetaré unas pastillas para tomar cada cuatro horas. Si la fiebre continúa te pondremos inyecciones.*
Niño: *No, las inyecciones me hacen mucho daño.*
Dr. López: *No te preocupes. Ahora acuéstate, guarda cama varios días, descansa. Pronto estarás bien.*
Niño: *Sí, me pondré bueno enseguida, pero inyecciones no, ¿de acuerdo?*

	Piernas	Cabeza	Brazos	Riñones	Vientre	Espalda	Pecho
Sí							
No							

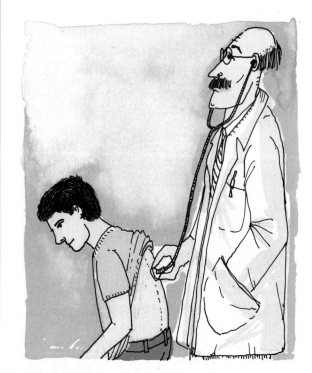

Subraya las expresiones de dolor en los diálogos anteriores. 4

Dr. E.S. Cayola
TRAUMATOLOGO

1. Tomar dos pastillas cada 4 horas.
2.
3.
4.
5.
6.
7.

5 Completa la receta que escribe el médico.

6 Por parejas.

> Tengo dolor de cabeza. ▷ ¿Por qué no te tomas una pastilla?
> Debes tomarte una pastilla.
> Pues, tómate una pastilla.

Tener dolor de cabeza.
Sentirse mal.
Doler el estómago.
Tener gripe.
Estar resfriado.
... ...

Quedarse en casa.
Tomar pastillas.
Descansar.
Ponerse inyecciones.
Tomar vitamina C.
Tomarse el día libre.
... ...

III.   Salud y bienestar.

1 ¿Qué se hace en cada uno de estos sitios?

- Los enfermos muy graves llegan en ambulancia.
- Venden medicinas con receta.
- Vamos al médico de cabecera.
- Los enfermos se recuperan de una operación.

¿Cuántos servicios médicos hay en tu ciudad? **2**

Lee la encuesta. ¿Qué opina Diego sobre... **3**

- la comida del hospital
- la comodidad
- los cuidados recibidos **?**

Escucha estas opiniones y averigua cómo son los hospitales en estas ciudades. **4** 🔊

	Bueno	Normal	Malo	¿Por qué?
Almería	☐	☐	☐	
Murcia	☐	☐	☐	
León	☐	☐	☐	

Fuera del aula. **Copia esta encuesta y rellénala preguntando a un conocido.** **5** ✒

Consejería de Salud y Consumo
Red de Asistencia Sanitaria de la Seguridad Social en Andalucía

ENCUESTA PARA LOS HOSPITALES DE LA SEGURIDAD SOCIAL

Nombre del Hospital *Virgen de las Nieves*

¿CUAL ES SU OPINION SOBRE ESTE HOSPITAL?

Para mejorar nuestro servicio, necesitamos conocer su opinión. Por ello, pedimos su colaboración contestando las siguientes preguntas (marque con una X la respuesta elegida):

1. Situación laboral:
   - ☐ 1. Trabajador.
   - ☐ 2. Parado.
   - ☐ 3. Estudiante.
   - ☐ 4. Ama de casa.
   - ☒ 5. Jubilado.
   - ☐ 6. Otros (especificar) _____

2. Nombre del Servicio donde está hospitalizado *Traumatología.*

3. La habitación que ocupa ¿cuántas camas tiene?
   - ☐ 1. Una sola.
   - ☒ 2. Dos a cuatro.
   - ☐ 3. Más de cuatro.

4. ¿Conoce el nombre del médico que le está tratando?
   - ☒ 1. Sí.
   - ☐ 2. No.

5. La información que le facilitan sobre su enfermedad le parece:
   - ☒ 1. Poca.
   - ☐ 2. Normal.
   - ☐ 3. Mucha.

6. ¿Entiende la explicación que recibe sobre su enfermedad?
   - ☐ 1. Sí.
   - ☐ 2. No.
   - ☒ 3. A veces.

	Muy mala.	Mala.	Normal.	Buena.	Muy buena.
7. ¿Cómo es la atención de las enfermeras?	☐	☐	☐	☒	☐
8. ¿Qué opina sobre la comodidad de su habitación?	☐	☐	☒	☐	☐
9. ¿Cómo le atiende el personal médico?	☐	☐	☐	☒	☐
10. ¿Qué opina sobre la calidad de la comida?	☐	☐	☐	☐	☒
11. ¿Qué le parece la limpieza del Hospital?	☐	☐	☒	☐	☐

12. ¿Cree que tiene suficiente contacto con sus familiares y amigos?
    - ☒ 1. Menos de lo necesario.
    - ☐ 2. Lo necesario.
    - ☐ 3. Más de lo necesario.

13. ¿Quiere añadir algo? _____

Granada, a *15* de *febrero* de 198*6*

Firma

Diego Fernández

Consulta al profesor o estudia por ti mismo.   Pág. 175

99

I. Era verano.

1 Juego: ¿Quién era quién?

A. Un alumno piensa en un personaje famoso no actual.
B. El resto de la clase hace preguntas para adivinarlo.

 Era...
Trabajaba (de/como)...
Estaba casado (con...)
Vivía (en)...
Nació (en)...
Estudió....

Manolo *El Despistado*. (1.ª parte). **2**

A. Observa:

(yo) despierto	(yo/él-ella) **despertab-a**
(él) despierta	(yo) **despert-é**
	(él/ella) **despert-ó**

B. Describe qué le ocurre hoy a Manolo.

Cambia a pasado los verbos de la descripción anterior. 3

4 A. Lee el texto siguiente.

Era verano. Aquel día nos levantamos tarde y desayunamos los dulces de mi abuela. Íbamos todos los días a la playa; allí jugábamos al fútbol con los chicos, en la arena. Si nos cansábamos mucho nos bañábamos. ¡Qué fresca estaba el agua! Pero aquel lunes era especial. Miramos por la ventana... ¡Adiós playa! Estaba lloviendo... Decidimos hacer algo. Subimos al piso de arriba, que estaba vacío. Allí estaba la vieja mesa de ping-pong. Jugamos durante toda la mañana. Por la tarde aún llovía y nos fuimos al cine. Fue un día estupendo.

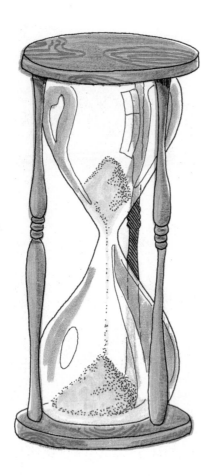

B. Pon todos los verbos del texto **anterior en la columna** correspondiente.

Presente	Pasado		
	Indefinido	Imperfecto	Perfecto
—	*subimos*	*estaba*	—
—			—
—			—
—			—

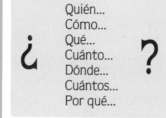 **5** Escucha el texto anterior. ¿Cuántas formas de pasado puedes identificar?

Juego: ¿Qué ocurrió?

A. Un alumno piensa en una actividad concreta que ha hecho recientemente.

B. El resto de la clase descubre los detalles con preguntas así:

¿
Quién...
Cómo...
Qué...
Cuánto...
Dónde...
Cuántos...
Por qué...
?

II. Nació en 1879.

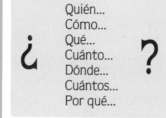 **1** Escucha la entrevista y completa las fechas que faltan.

▶ *Soy periodista. ¿Cómo está usted?*
▷ *Muy bien, gracias. Me alegra hablar con un periodista.*
▶ *Su nombre es Víctor Pacés, ¿verdad?*
▷ *Exactamente.*
▶ *Y nació en* _____
▷ *Así es.*
▶ *Y ¿cuándo empezó sus estudios?*
▷ *Entré en la escuela en* _____ *Después empecé el Bachillerato en* _____ *y pocos años después comencé los estudios en la Universidad. Acabé en* _____ *Dos años después me doctoré en Ciencias Físicas. Exactamente en* _____

▶ *Pero luego estuvo usted en Universidades extranjeras.*

▷ *Sí, estuve dos años en Harvard, de ▬▬▬▬ a ▬▬▬▬ ▬▬▬▬ y, finalmente, trabajé tres años como investigador en la Universidad de Bonn.*

▶ *Ha sido una vida muy intensa. ¿Qué piensa ahora, diez años después, en ▬▬▬▬▬▬▬▬▬▬ ?*

▷ *Que todo ha valido la pena.*

Escribe tu *curriculum*.   **2**

Pregunta a tu compañero/a sobre su *curriculum*.   **3**

A. **Lee los tres textos siguientes.**   **4**

> *Guapa o atractiva. Ni muy gorda ni muy delgada: buen tipo. Un metro setenta centímetros de alta. Estudios de bachillerato. Dos idiomas. Curso especial para atender y relacionarse con el público.*

> *Hombre de carácter e ideas claras. Saber tomar decisiones. Buena presencia física y vestir elegante. A ser posible, licenciado en Ciencias del Mercado o Economía. Carácter agresivo y competitivo.*

> *Amplia y profunda cultura. Carácter creativo y, a la vez, sentido de la realidad. Preferible si le gusta la aventura y vivir fuera de casa. Capacidad para crear historias y conocer los gustos de la gente. Preferible si, además, tiene estudios de Ciencias de la Información.*

B. **¿Cuál de ellos es el *curriculum* ideal para...**

▷ *una azafata*

▶ *un director/ejecutivo*   **?**

▷ *un director de cine*

¿Cuándo? ¿Cómo? ¿Qué? ¿Quién?...   **5**

TEST CULTURAL

1. ¿Quién **descubrió** América?
   - ☐ Juan Sebastián Elcano
   - ☐ Bolívar
   - ☐ Cristóbal Colón

2. ¿Cuándo **perdió** España sus últimas posesiones en Hispanoamerica?
   - ☐ 1898
   - ☐ 1888
   - ☐ 1908

3. ¿Cuánto **duró** la Guerra Civil Española?
   - ☐ Un año y diez meses
   - ☐ Tres años
   - ☐ Cinco años

4. ¿Sabes cuándo **vinieron/llegaron** y se **fueron/salieron** los árabes de España?
   ☐ 711-1492
   ☐ 595-1580
   ☐ 811-1600

5. ¿En qué siglo **reinó** Carlos V en España?
   ☐ Siglo XV
   ☐ Siglo XVI
   ☐ Siglo XVII

6. ¿Dónde **murió** el pintor español Picasso?
   ☐ EE. UU.
   ☐ Francia
   ☐ Suiza

7. El ***Concierto de Aranjuez*** lo compuso...
   ☐ Narciso Yepes
   ☐ Andrés Segovia
   ☐ Maestro Rodrigo

8. El ingreso de España en la C.E.E. **fue** en...
   ☐ enero 1986
   ☐ marzo 1986
   ☐ mayo 1985

9. El Siglo de Oro español **ocupó** el período llamado...
   ☐ Edad Media
   ☐ Renacimiento
   ☐ Barroco

10. ¿Qué escritor español **escribió** *Bodas de Sangre*?
    ☐ Miguel Hernández
    ☐ Federico García Lorca
    ☐ Manuel Machado

III. Lo entendió todo: ¡Hoy era domingo!

1 **Ordena la vida de este personaje** (fíjate en las fechas).

Vida y obra del pintor **Goya**

- Nació en 1746.
- Ya en 1774 comenzó a pintar en el Pilar de Zaragoza.
- En 1774 pintó también cartones para los tapices de la Fábrica Real.
- Pintó los primeros retratos en 1784.
- En 1818: *Los disparates*.
- Su famosa obra *La tauromaquia* la dibujó en 1815.

104

- En 1789 pintó el retrato de Carlos III, poco antes de su muerte.
- El primer retrato lo hizo a la Duquesa de Osuna, en 1789.
- En 1795 inició sus relaciones con la Duquesa de Alba; vivió un año en su residencia de Cádiz.
- La invasión de España por Napoleón dio origen a su famoso cuadro *Fusilamientos del 2 de mayo*.
- Murió en París, en 1828.
- Por razones políticas se exilió a Francia en 1824.
- *Los caprichos* los acabó en 1797.

Manolo *El Despistado* (2.ª parte).   **2**

Lee el texto y ordena las imágenes.

> *Manolo ya no sabía qué hacer. Nada era real. ¿Qué le ocurría hoy? Empezó a correr por la calle. No sabía a dónde ir. Pensó un instante: en caso de duda, mejor es llegar a pie al trabajo que no llegar. Siguió corriendo. Finalmente, muy cansado, llegó a la oficina. Trató de entrar: estaba cerrada. Además no había nadie dentro. ¿Cómo es posible? ¿Nadie quería trabajar hoy? De repente oye algo: son campanas, las campanas de la Iglesia de San Lorenzo. ¡Claro! Ahora lo entiende todo. Es la hora de la Misa. Mira el calendario. ¡Es domingo! No hay autobuses, se levanta uno tarde, no se trabaja...*

1 ▢ **2** ▢ **3** ▢ **4** ▢ **5** ▢

Une las imágenes de la página 101 con éstas y cuenta lo que le ocurrió a Manolo.   **3**

Relato fantástico.   **4**

A. Un alumno describe a su mejor amigo/a.
B. El profesor comienza: *Un día esta persona (fue)...*
C. Cada alumno dice otra frase nueva y original.

¿Qué recuerdas del relato? Cuéntalo de nuevo.   **5**

Consulta al profesor o estudia por ti mismo. | *Pág. 175*

I.   Ofertas de viajes.

1   Miguel está en la Agencia de Viajes Marsol. **Escucha la conversación y averigua.**

A. **¿En qué país vive Miguel?**
B. **¿A dónde quiere viajar?**

(En la agencia de viajes Marsol)

Empleado: *Buenos días, señores. ¿Qué desean?*

Miguel: *Buenos días. Querríamos información para hacer un viaje a Hispanoamérica, quizás a México.*

Empleado: *Tenemos viajes muy bonitos. Siéntense, por favor. Mire. Este se llama* Raíces Mexicanas. *Son dieci- siete días, por doscientas ocho mil quinientas pesetas, en habitación doble y por persona.*

Miguel: *Parece un poco caro. ¿Es con pensión completa?*

Empleado: *No. Sólo alojamiento. Pero los hoteles son de primera categoría.*

Miguel: *¿Tiene algún otro viaje?*

Empleado: *Sí. Tenemos otros viajes: Perú-Bolivia-Brasil, Argentina y sus tesoros...*

Miguel: *¿Y el precio?*

Empleado: *Desde doscientas noventa y cuatro mil pesetas.*

Miguel: *Bien. ¿Nos podría dejar este catálogo? Queremos pensarlo un poco más y comparar precios.*

Empleado: *Naturalmente. Tengan. Espero pronto su respuesta. Gracias por su visita.*

Miguel: *Adiós. Gracias a usted.*

Lee: ¿Cuántas comidas incluye cada día el viaje a Perú?

2

Visite Perú

Día 1º - MADRID / BARCELONA / LIMA

Presentación a las 23,00 h. en el aeropuerto, salidas internacionales para embarcar en vuelo línea regular de la Cía. Avianca con destino a LIMA (cena y desayuno a bordo).

Día 2º - LIMA

Llegada, asistencia y traslado al hotel. Día libre. Alojamiento.

Día 3º - LIMA

Desayuno continental. Visita de la ciudad, recorriendo la Casa Aliaga, Convento de Santo Domingo y Torre Tagle, continuación por el Palacio de Gobierno, la Catedral y la Plaza de Armas, pasaremos por las elegantes zonas residenciales de San Isidro y Miraflores, y tendremos una bella vista del Océano Pacífico. Alojamiento en el hotel.

Día 4º - LIMA

Día libre en régimen de alojamiento y desayuno. Posibilidad de realizar alguna excursión opcional como Ruinas preincas de Pachacamac, Museo de Oro con más de 6.000 piezas de las culturas Chimú, Paracas Chavin, etcétera.

Día 5º - LIMA / CUZCO

Desayuno continental. Traslado al aeropuerto a primera hora de la mañana para salir en vuelo línea regular hacia CUZCO. Llegada, asistencia y traslado al hotel. Visita de la ciudad y a las ruinas: Sacsayhuaman antigua fortaleza, Tambomachay, Pucapu-cara y Kenko. Alojamiento en el hotel.

PRECIOS Y SALIDAS
PRECIO POR PERSONA

Precio por persona	308.900 ptas.
Spto. hab. individual	31.300 ptas.
Salida de Barcelona, Bilbao, Palma y Valencia	8.500 ptas.
Spto. temporada alta (Tarifa aérea)	35.700 ptas.

FECHAS DE SALIDA:

Marzo: 20
Abril: 3 y 17
Mayo: 1, 15 y 29
Junio: 12 y 26
Julio: **3**, **10**, **17**, **24** y **31**

Agosto: **7**, **14**, **21** y **28**
Septiembre: **4**, **11**, **18** y **25***
Octubre: 2, 16 y 30
Noviembre: 13 y 27
Diciembre: 4, 18 y 25

* En negrita: Fechas temporada alta.

	Fecha	Precio
Perú		
Argentina		

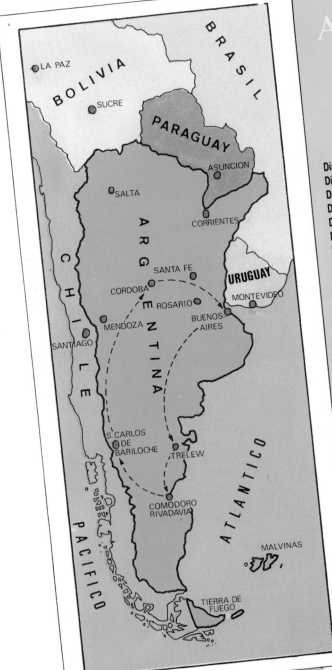

Argentina y sus tesoros

15 días por 294.900 ptas.

Día 1º - MADRID / BARCELONA / BUENOS AIRES
Día 2º - BUENOS AIRES / TRELEW
Día 3º - TRELEW
Día 4º - TRELEW
Día 5º - TRELEW / COMODORO RIVADAVIA
Día 6º - COMODORO RIVADAVIA
Día 7º - COMODORO RIVADAVIA / SAN CARLOS DE BARILOCHE
Día 8º - SAN CARLOS DE BARILOCHE
Día 9º - SAN CARLOS DE BARILOCHE
Día 10º - SAN CARLOS DE BARILOCHE / CORDOBA
Día 11º - CORDOBA
Día 12º - CORDOBA / BUENOS AIRES
Día 13º - BUENOS AIRES
Día 14º - BUENOS AIRES / MADRID / BARCELONA
Día 15º - MADRID / BARCELONA (llegada)

PRECIOS Y SALIDAS

Precio por persona	294.900 ptas.
Spto. hab. individual	37.200 ptas.
Salida de Barcelona, Bilbao, Palma y Valencia	8.500 ptas.
Spto. salida de Málaga y Sevilla	7.000 ptas.
Spto. temporada alta (Tarifa aérea)	3.700 ptas.

FECHAS DE SALIDA:

Marzo: 22
Abril: 5 y 19
Mayo: 3, 17 y 31
Junio: 14 y 28
Julio: 5, 12, 19, y **26***

Agosto: **2**, 9, 16, 23 y **30**
Septiembre: 6, **13**, 20 y **27**
Octubre: 4, y 18
Noviembre: 1, 15 y 29
Diciembre: 6, 20 y 27

* En negrita: Fechas temporada alta.

Compara los tres itinerarios. **4**

	Días	Ciudades
Perú		
Argentina		
Raíces Mexicanas		

Fuera del aula. **Busca información sobre Argentina en** **5**
una enciclopedia. **Anota datos de interés turístico sobre las**
ciudades del viaje a Argentina.

II. ¡Nos vamos a México!

Resuelve el problema. **1**

Miguel y su esposa viajan con su hija de siete años. Tienen
vacaciones del 15 de agosto al 15 de septiembre. Disponen
de 450.000 pesetas, más una tarjeta de crédito para algu-
nos gastos personales. A ella le gusta lo exótico, las antigüe-
dades, los monumentos. Pero él prefiere la playa, descansar,
aunque también tiene varios amigos mexicanos...

¿Qué viaje es el más interesante para ellos?

Y tú ¿qué viaje elegirías? **2**

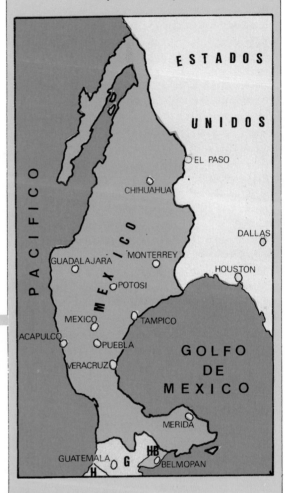

Raíces Mexicanas

17 días por 208.500 ptas.

PRECIOS Y SALIDAS
PRECIO POR PERSONA

Temporada baja	208.500 ptas.
Spto. hab. individual	40.000 ptas.
Spto. Tarifa Aérea del 15/7 al 31 de agosto ..	14.500 ptas.
Salida de Barcelona, ...	4.000 ptas.
Reducción por niños de 2 a 12 años (viajando con dos adultos)	65.000 ptas.
Reducción por niños de 2 a 12 años (viajando con un adulto)	60.000 ptas.
Día extra en México	2.300 ptas.

FECHAS DE SALIDA:

Abril: 1, 8, 15, 22, 29.	Septiembre: 2, 9, 16, 23, 30.
Mayo: 6, 13, 20, 27.	Octubre: 7, 14, 21, 28.
Junio: 3, 10, 17, 24.	Noviembre: 4, 11, 18, 25.
Julio: 1, 8, 15, 22, 29.	Diciembre: 2, 9, 16, 23, 30.
Agosto: 5, 12, 19, 26.	

Día 1º - MADRID / MEXICO

Presentación en el aeropuerto para salir en vuelo de línea regular con destino a MEXICO. Llegada. Traslado al hotel y alojamiento.

Día 2º - MEXICO

Por la mañana visita panorámica de la ciudad: Palacio Nacional, el Zócalo, Catedral, etc. Tarde libre. Alojamiento.

Día 3º - MEXICO

Día libre en régimen de alojamiento.
Posibilidad de realizar excursión opcional a la Basílica de Guadalupe y la zona arqueológica de TEHOTIHUACAN, la *Ciudad de los Dioses:* Pirámides del Sol y la Luna, Templo de Quetzacoalt, etc.

Día 4º - MEXICO / OAXACA

Llegada. Traslado al hotel y alojamiento.

Día 5º - OAXACA

Por la mañana, visita a la zona arqueológica de MONTE ALBAN. Tarde libre y alojamiento.

Día 6º - OAXACA

Día libre en régimen de alojamiento.
Posibilidad de realizar excursión opcional a MITLA, en el centro del mundo Mixteca, con sus palacios y orfebrería y TULA, capital precolombina que fue ocupada por los Toltecas.

Día 7º - OAXACA / VILLAHERMOSA

Traslado al aeropuerto para salir en vuelo regular con destino a VILLAHERMOSA, llegada. Traslado a hotel y alojamiento.

Día 8º VILLAHERMOSA

Visita a la zona arqueológica de PALENQUE, representativa de la cultura Maya. Recorrido por sus principales monumentos: Templo de la Cruz Foliada, Templo de las Inscripciones, etc. Regreso al hotel y alojamiento.

Día 9º - VILLAHERMOSA / MERIDA

Llegada. Traslado al hotel y alojamiento.

Día 10º - MERIDA

Visita a la zona arqueológica de CHICHEN ITZA, antigua capital de los Toltecas. Regreso al hotel y alojamiento.

Día 11º - MERIDA

Día libre en régimen de alojamiento.
Posibilidad de realizar excursión opcional a la zona arqueológica de UXMAL, donde la arquitectura Maya alcanzó su máximo esplendor.

Día 12º - MERIDA / CANCUN

Llegada. Traslado al hotel y alojamiento.

Día 13º - CANCUN

Día libre en régimen de alojamiento en el que podrá disfrutar de su playas de fina y blanca arena o visitar la zona arqueológica de TULUM, ciudad amurallada.

Día 14º - CANCUN

Día libre en régimen de alojamiento. Posibilidad de realizar excursión opcional en ferry a ISLA MUJERES.

Día 15º - CANCUN / MEXICO

Llegada. Traslado al hotel y alojamiento.

Día 16º - MEXICO / MADRID

Traslado al aeropuerto para salir en vuelo regular con destino a MADRID.

Día 17º - MADRID.

Llegada.

Fin de viaje y de nuestros servicios.

---

3 Miguel está ahora reservando los billetes de las vacaciones. Escucha la conversación y anota.

(En la agencia de viajes Marsol)

Miguel: *Buenos días. Ya estamos aquí de nuevo. Hemos decidido el viaje.*

Empleado: *Buenos días. Me alegro de verlos de nuevo. ¿A dónde han decidido ir ustedes?*

Miguel: *A México. Será el viaje* Raíces Mexicanas.

Empleado: *Estupendo. ¿Cuándo piensan salir?*

Miguel: *El dieciséis de agosto.*

Empleado: *No. Tiene que ser el doce o el diecinueve. Además, en esta época el precio lleva un pequeño suplemento por ser temporada alta.*

Miguel: *Sí, de acuerdo. Saldremos el diecinueve. Desde Madrid.*

Empleado: *Son dos billetes, ¿verdad?*

Miguel: *No, tres. Nuestra hija viajará también con nosotros.*

Empleado: *Ahora deben pagar el veinticinco por ciento de reserva. El resto lo pagarán al recoger sus billetes. Les deseo un buen viaje.*

Miguel: *Gracias. Estamos muy ilusionados.*

Empleado: *¡Y no olviden tener su pasaporte en regla!*

- ¿Cuántos billetes necesita
- ¿Cuánto cuestan todos los billetes **?**
- ¿Qué consejo le dan

---

4 Miguel y su familia van a hacer el viaje *Raíces Mexicanas*. Léelo y averigua.

A. Completa el plan de vuelos durante el viaje.

Día	Salida	Llegada
19	Madrid	México
22		
25		
27		
. . .		
. . .		
. . .		
. . .		

B. ¿Qué es opcional? ¿Qué está incluido?

C. ¿Cuál crees que es el día más interesante? ¿Por qué?

III. ¡Qué país más lindo!

¿Qué autobús están esperando Miguel y su esposa? 1
¿Qué lugar van a visitar? Señálalo en el mapa.

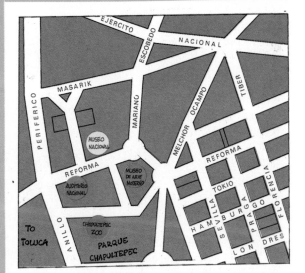

Miguel: *Hay que ver el Museo Nacional. Allí está lo mejor de la cultura del Valle de México.*
Elena: *Sí. Vamos a coger el autobús.*
Miguel: *Tomar, no coger el autobús. ¡Estamos en México!*
Elena: *¡Huy, claro! Si me oyen los mexicanos...*
Mira. Ahí viene un autobús. ¡Y pone el letrero de Centro! Debe ser éste.

(Al cobrador del autobús)

Miguel: *¿Es éste el autobús para el Museo Nacional?*
Cobrador: *Bueno, sí. Tienen ustedes que bajar al final. Allí toman otro. Creo que es la tercera parada.*
Miguel: *Gracias.*

Escucha y averigua cuál de estos letreros podía 2 ⚆⚆
leerse en el autobús.

ESTACION DE AUTOBUSES

CENTRO

SALIDA

DESPACHO DE BILLETES

PARADA DE AUTOBUS

NO FUMAR

TIMBRE

METRO

Empareja las descripciones con las fotografías. 3

1. México es famoso por sus playas. Esta es una de las más conocidas.
2. Un tópico mundial sobre México. Niño y niña con trajes típicos.
3. También México tiene historia. Este es un monumento dejado allí por los españoles.
4. Una ciudad que es casi un mundo: una luminosa noche de México Distrito Federal.

Describe sitios de interés turístico de tu región. 4

Consulta al profesor o estudia por ti mismo. **Pág. 176**

I.   Turistas en la Costa del Sol.

1   Por parejas. ¿Qué habéis oído de la famosa Costa del Sol? Haced una lista con vuestras ideas (clima, vegetación, playas, ríos, lluvias).

Escuchad la explicación del Guía Turístico y comprobad los datos en vuestra lista. **2**

COSTA DEL SOL

Temperatura ambiente						
MEDIA DE INVIERNO	**13,8**					
	56,8					
MEDIA DE PRIMAVERA	**20,5**					
	68,9					
MEDIA DE VERANO	**24,4**					
	75,9					
MEDIA DE OTOÑO	**16,1**					
	60,9					
MEDIA ANUAL	**18,7**					
	65,6					
MEDIDA EN 0 °C	0	5	10	15	20	25
MEDIDA EN 0 °F	0	41	50	59	68	77

Temperatura del agua del mar					
ENERO	**15,1**				
FEBRERO	**14,2**				
MARZO	**15,2**				
ABRIL	**16,6**				
MAYO	**17,4**				
JUNIO	**20,7**				
JULIO	**20,9**				
AGOSTO	**24,2**				
SEPTIEMBRE	**21,2**				
OCTUBRE	**18,3**				
NOVIEMBRE	**17,8**				
DICIEMBRE	**14,4**				
MEDIDA EN 0 °C	0	5	10	15	20	25

3 Miles de visitantes de todo el mundo participan de la eterna primavera de la Costa del Sol. Los Schmidt y los Frauenhof han decidido pasar aquí sus quince días de vacaciones. Escucha las descripciones e identifica las dos parejas.

Estos son los Schmidt

El: Alto, rubio, de ojos azules, de unos cuarenta años. Es profesor en un Gymnasium. Explica arte. Le gusta especialmente el arte antiguo. En su casa tiene muchos objetos raros y de artesanía. Le gusta visitar pueblos y lugares poco frecuentados.

Ella: Es también rubia, de mediana edad. Fuerte, pero no gorda. Es maestra en una escuela. Le gustan los objetos de barro y cerámica.

Estos son los Frauenhof

El: *De mediana estatura, pelo castaño, fuerte, casi gordo y alegre de carácter. Tiene una tienda de ferretería. Le gusta reírse y pasarlo bien.*

Ella: *Es rubia y de ojos azules. Tiene buen tipo. Viste despreocupadamente. Le gusta viajar y tomar el sol. A los dos les encanta todo lo típico. Ella es ama de casa.*

Sr. Schmidt ☐

Sra. Schmidt ☐

Sr. Frauenhof ☐

Sra. Frauenhof ☐

4 Vuelve a escuchar las descripciones y completa este cuadro.

	Los Schmidt		Los Frauenhof	
	El	Ella	El	Ella
Profesión				
Aspecto físico				
Gustos				

5 Interrogatorio.

A. Piensa en un turista que ha visitado tu ciudad. Anota las ideas que se te ocurran.

B. Pregunta a tus compañeros.

¿Qué?	¿Cómo?	¿Quién?
¿De qué?	¿A qué?	¿Cuándo?

II.   Los alrededores de Fuengirola.

Lee este folleto turístico y señala los lugares en el mapa anterior. **1**

Fuengirola (26.053 h.).—Tiene seis kilómetros y medio de playas: Carvajal, Las Gaviotas, Los Boliches, San Francisco, Santa Amalia y El Castillo. Paseo marítimo dominado por las ruinas del castillo de Sohail. Dispone de urbanizaciones con magníficas instalaciones deportivas, playa, piscinas, centro comercial, puerto deportivo, club náutico, alquiler de embarcaciones, etcétera. Otras urbanizaciones con conjuntos de chalets, apartamentos y *bungalows* rodean esta zona de playa.

● Desde Fuengirola, a 8,5 kilómetros, se puede visitar:

Mijas (12.027 h.).—Típico pueblo blanco y artesano, de acusado sabor popular, en la sierra de su nombre. Existen dos campos de golf de 18 hoyos. Urbanizaciones en la costa y en el interior.

Marbella (54.202 h.).—Al abrigo de Sierra Blanca, su temperatura es privilegiada durante todo el año. Conserva numerosos restos de torres y murallas de primitiva ciudadela, ruinas de la fortaleza árabe; las playas más importantes son tres: la de Fuerte, 500 metros; la Fontanilla, 1.500 metros; Ancón, 2.000 metros. Son de arena muy fina y limpia. Existen en los alrededores unas veinte playas más, de distintas dimensiones y características similares. Alquiler de embarcaciones. Pesca deportiva. Puerto y Club Náutico. Plaza de Toros. Campo de golf *Río Real-Los Monteros*, de 18 hoyos. Urbanizaciones y conjuntos residenciales: *Pinomar*, Centro de Interés Turístico.

● Por la carretera comarcal 337, desde Marbella hasta Coín, visitando:

Ojén (2.016 h.).—Pintoresco pueblo serrano. Centro de excursiones a Sierra Blanca. Coto Nacional de Caza. Refugio Nacional de Cazadores de Juanar.

Coín (21.320 h.).—A orillas del río Seco. Castillo árabe.

Istán (1.642 h.).—Pueblo típico, a 12 kilómetros del interior. Paisajes. Caza.

Parauta (660 h.).—Pueblo típico en plena Serranía de Ronda. En su término, la urbanización *Navas de San Luis*, Centro de Interés Turístico. Grandes extensiones de pinares y pinsapos.

San Pedro de Alcántara (4.000 h.).—En el término de Marbella. Muy pintoresca, conserva interesantes restos de la dominación romana, declarados Monumento Nacional.

Fuengirola

Ojén

Por parejas. Según los gustos de los Schmidt y los Frauenhof en la página anterior, aconséjales un lugar idóneo para pasar sus vacaciones. Justifica tu elección. **2**

	Lugar de descanso	Actividades posibles
Los Schmidt		
Los Frauenhof		

¿Qué lugar le aconsejas a tu compañero/a? ¿Está de acuerdo? **3**

4 Observa estos objetos. ¿Cuáles crees que no son típicos españoles?

5 Describe tres objetos típicos de tu región.

	¿Qué es?	¿Para qué sirve?	¿Qué representa?
1.			
2.			
3.			

6 Pregunta a tu compañero/a qué regalos u objetos compraría en España o en México. ¿Y en qué clase de tiendas?

Objetos/Regalos	Tienda

7 Dentro del aula. **Dialoga con tus compañeros según el modelo.**

> ¿Qué te gustaría comprar en la Costa del Sol?
> Compraría un plato granadino.
> A mí, sin embargo, me gustaría comprar un jarrón típico.

III. El regreso.

1 Según el cuadro de la página 114 y los objetos de esta página, ¿qué crees que han comprado los Schmidt y los Frauenhof? Haz dos listas.

En el autobús de vuelta, la señora Frauenhof **2**
comenta sus compras con el guía. Escúchalos y comprueba
las dos listas anteriores.

(En el autobús de vuelta. Con el guía)

Sra. Frauenhof: *Hay muchas cosas típicas y bonitas en España. Muy interesante comprar cosas.*

Guía: *Sí, es verdad. Yo he disfrutado mucho con ustedes también.*

Sra. Frauenhof: *Este toro ser muy interesante. Tengo tres. Dos para los amigos. Gustar mucho toros y toreros.*

Guía: *¿Son caros?*

Sra. Frauenhof: *¿Qué? No entiendo.*

Guía: *¿Cuánto dinero?*

Sra. Frauenhof: *Muy baratos. También esta bailarina flamenca: setecientas pesetas. Muy bonita. Iguales de baratos, toro igual que bailarina.*

Guía: *¿Y este botijo? Es para beber, ¿eh?*

Sra. Frauenhof: *¡Claro, claro! Muy interesante.*

Escucha de nuevo la conversación y anota. **3**

Expresiones de sorpresa	Comparaciones

Lee de nuevo el texto anterior. ¿Por qué deduces que la señora Frauenhof no habla bien español? **4**

Completa y practica según el modelo. **5**

¿Es	el la		barato/a?
Sí No	vale igual que	el la	

• balón • cenicero • cuadro • jarrón • plato •
espada • camiseta • pañuelo • juguete

Escucha y escríbelo correctamente. **6**

varatos • tanbién • graciosso • ygual • bayle •
típiko • verdaz • levo • autovús • agwa •
interessamte

Juego. En grupo. ¿Cómo estás de memoria? **7**

Si fuese a la Costa del Sol, compraría...

Consulta al profesor o estudia por ti mismo. Pág. 176

117

Menú

1. Entremeses :

2. Pollo relleno :

3. Postr.

4. Bebidas:

I.   Invitados en casa.

1   Ramón y Julia han invitado a comer a sus amigos Marcos y Maruja. Ayuda a Julia a completar el menú de arriba.

2   Antes de comer deciden tomar un aperitivo. Escucha la conversación y averigua qué va a tomar cada uno.

Ramón	
Julia	
Maruja	
Marcos	

118

Lee el texto y completa la última frase. **3**

Los cuatro amigos charlaban amigablemente, cada uno con su bebida. Julia se sentó también con el grupo. La conversación era muy interesante. Marcos y Maruja estaban contando el viaje del verano pasado por la India. El tiempo pasaba... De pronto Ramón se levanta.. Olía a quemado.

—¡El pollo! —gritó.

Julia se levantó, corrió hacia la cocina: estaba llena de humo: el pollo ▬▬▬▬▬▬

Por parejas. Imagina la escena: ¿Cómo reaccionaron Julia y Maruja, y Ramón y Marcos? **4**

▸ ¡Tonta de mí!   ▷ No tiene importancia.
▸ Es culpa mía.   ▷ Comeremos bocadillos.
▸ ¿Qué haremos ahora? ▷ ¡Vamos a cenar fuera!
▸ ¡Tanto trabajo hecho!
▸ ¡Distraído!

Usa tu imaginación. Eres Ramón y cuentas al día siguiente lo que te ocurrió en casa. **5**

A. ¿Qué relación tienes con la otra pareja?
B. ¿Por qué se quemó el pollo?
C. ¿Cómo solucionaste el problema?

Escribe tu relato y pásalo a los compañeros. **6**

1 ¡La casa invita! ¿Qué sitio elegirías para ir a comer?

Menú especial
MAÑANA LUNES
- Crema de pescado
- Canelones Rossini
- Escalope relleno
- Fresas con nata
  Se incluye pan y bebida
Precio en barra 550 ptas.

La Gran Tasca

Santa Engracia, 22. Tel. 448 77 79
Ballesta, 1. Tel. 231 00 44
Sus sólidos manjares son el resultado de una compra selecta, aprestos sencillos y amplias raciones. Sus incondicionales clientes lo saben.

La Grillade

Jardines, 3. Tel. 232 16 00
Su gran parrilla, a la vista de todos los comensales, y una excelente materia prima, es lo que han dado fama a este restaurante, además ofrece una notable carta de vinos.

La Máquina

Sor Angela de la Cruz, 22. Tel. 270 61 05
Destacan los vagones independientes para comidas de empresa en este local que practica un alto nivel de cocina asturiana. Y en donde puede degustar una deliciosa Merluza con cocochas y angulas *y por supuesto* Fabada.

Tropezón

Madrid 2 (La Vaguada). Tel. 730 00 00
Especialidad en cocina castellana de sabor auténtico y creativo, su carta contiene muchas referencias a pescados del día y carnes rojas. Amplia bodega.

Mesón Txistu

Plaza Angel Carvayo, 6. Tel. 270 96 51
Un clásico *vasco de Madrid. Su mejor referencia: la fiel clientela y su cocina de alta calidad. Como muestra: su* Merluza a la Vasca, *el* Chuletón *y las* Cocochas.

Dónde comer

Aquí podréis encontrar una guía de restaurantes, casas de comidas, bares de tapeo, clasificados por su precio. Primera categoría: más de 1.500 pesetas. Medios: menos de 800 pesetas. Baratos: menos de 400 pesetas.

A. Restaurantes

PRIMERA CATEGORIA

- **Dimo.** Plaza San Agustín, 6 - Tel. 50 16 84. Cocina muy selecta.
- **Los Habaneros.** San Diego, 60 - Tel. 50 52 50.
- **Mare Nostrum.** Paseo Alfonso XII - Tel. 52 21 31. Variedad en pescados.
- **El Jeringal.** La Aparecida - Tel. 55 43 20. Cocina francesa.

BARATOS

- **Casa Tomás.** Plaza del Parque. Realmente curioso.
- **Jamaica.** Canales. Búscalo bien, está muy escondido. Variedad de guisos.
- **Boga-Boga.** Canales.
- **Bar Valencia.** En frente del Ayuntamiento. Completos muy económicos.
- **Restaurante El Puerto.** Plaza José María Artés.

B. Para tapear

- **La Cazuela.** Bodegones.
- **La Mejillonera.** Mayor, 4. Mejillones muchos.
- **Ponys.** Bodegones. Pequeña. Tapas típicas.
- **El Pico Esquina.** Bodegones, 1. Buenísimas tapas típicas. Michirones.

Lee y averigua. **2**

Guía para comer en España

Comer es fácil: todos lo hacemos varias veces al día. Comer bien es menos fácil. Pero comer bien y barato es a menudo muy difícil. En España hay restaurantes, mesones (a veces sin diferencias reales entre sí) y casas de comidas. Las *casas de comidas* son las más baratas. En ellas se suele servir un menú igual para todos, abundante y sencillo. Los restaurantes están clasificados por *tenedores:* cinco, cuatro, tres, dos y uno. Los de cinco tenedores son los mejores y más caros. Los de un tenedor son los más baratos. Sin embargo, a pesar de esa clasificación, no todos los que tienen los mismos tenedores son iguales en calidad. Esto sólo lo saben quienes suelen comer frecuentemente en ellos.

¡Ah! Y recuerde: no vaya usted a comer a las doce o a cenar a las siete de la tarde. En España la comida suele empezar a servirse a la una y media y la cena hacia las nueve.

● Di el nombre adecuado para cada uno de estos locales.
● ¿Cuántos tenedores corresponderían a cada uno?
● ¿Qué diferencias hay con los de tu país?

Escucha estas opiniones. **3** ⊙⊙

José: *A mí me gusta comer bien. El precio no me importa. Me sobra dinero.*

Ignacio: *Vivo solo en la ciudad. No tengo trabajo fijo. Algún mes tengo que vivir con unas diez mil pesetas. Para comer compro bocadillos.*

Laura: *Trabajo en una oficina de nueve a cinco de la tarde. Tengo que comer cerca de la oficina. Como para vivir, ¡y barato! En el bar de al lado.*

Trini: *Me encanta el ambiente de las casas de comidas de antes. Por eso siempre voy a los mesones. Hay muchos en la ciudad.*

A. ¿A dónde suelen ir a comer?

José	
Ignacio	
Laura	
Trini	

B. Y tú, ¿dónde sueles comer?

4 En grupos de cuatro. **Elige una de estas tarjetas: ésta es tu nueva personalidad. Tienes que llegar a un acuerdo con tus compañeros sobre el sitio donde vais a ir a comer.** (Consulta la página 120).

(A) Tiene cuarenta años. Le gusta comer bien. No le importa el precio ni el dinero.

(B) No tiene trabajo fijo. Dispone de poco dinero para gastar.

(C) La comida le importa poco. Lo que más le interesa es el ambiente del restaurante: debe existir una atmósfera agradable.

(D) Los restaurantes de muchos tenedores le desagradan. A él/ella le gusta especialmente la comida casera, aunque el lugar sea poco elegante.

5 Informad a los demás grupos sobre vuestra decisión.

III. ¡Camarero, por favor!

1 Por parejas.

A. **Elabora una comida típica de tu país.**
B. **Compárala con este menú de un restaurante español.**
C. **¿Qué platos cambiarías para que este menú fuese más barato?**

2 Ramón y Julia han decidido llevar a sus invitados a un restaurante. **¿Qué van a pedir? Completa el** cuadro.

(Ramón, Julia, Marcos y Maruja en un restaurante)

Camarero: *Buenas noches. ¿Qué desean, por favor?*
Ramón: *¿Qué nos recomienda usted?*
Camarero: *Tenemos setas a la crema de puerros, de primero. De segundo filetitos a la salsa Roquefort o besugo a la bilbaína.*
Julia: *Yo prefiero algo suave. Para mí un paté de verduras. ¿Cómo es el besugo a la bilbaína?*
Camarero: *A la plancha, con picadillo de ajo, perejil y guarnición de pimientos.*
Julia y
Maruja: *¡Besugo a la bilbaína para nosotras!*
Ramón: *A mí tráigame setas y filetitos a la salsa Roquefort.*
Marcos: *Lo mismo para mí.*
Camarero: *¿Para beber?*
Ramón: *Vino rosado y agua mineral sin gas.*

MARCOS

Especialidades

Menú de Degustación

Ensalada Primaveral
Berenjenas al gusto del Chef
Puding de Cabracho
Bacalao a la Catalana
Filetitos con salsa de Roquefort
Sorbete del día
Vino Rosado
Pan ~~ Café
Precio por Persona: 1.750 pts

Las Entradas

Ensalada habido y por haber	300
Sopa del Cantábrico	495
Combinado Tropical con Salmón Ahumado	650
Setas a la Crema de puerros	500
Berenjenas al gusto del Chef	450

Los Pescados

Changurro Donostiarra	900
Merluza con Angulas al jerez	1.200
Rape con Crustáceos	975
Salmón en Papillote	1.150
Lenguado costa cálida	850
Besugo a la Bilbaína	1.100

Ramón: *Ha estado todo muy bueno.*

Maruja: *El besugo un poquito picante, pero riquísimo. ¿Qué tomamos de postre? Los sorbetes de la casa son muy buenos.*

Todos: *¡Pues sorbetes de la casa para todos!*

	Ramón	Julia	Maruja	Marcos
Primero				
Segundo				
Bebida				
Postres				
Café				

¿Qué nos recomienda? En grupos **3**

A. Un alumno hace de camarero. Los demás piden según el menú de la página anterior.

> ▷ *¿Qué nos recomienda?*
> ▷ *¿Cuál es la especialidad de la casa?*
> ▷ *Para mí...*
> ▷ *A mí póngame / tráigame...*

¿Recuerdas alguna comida en especial? Anota lo que tomaste y cuéntalo a tu grupo. **4**

A. ¿Cómo era el lugar?
B. ¿Quién estaba en la mesa?
C. ¿En qué orden aparecieron los platos?
D. ¿De qué hablaba la gente?

Consulta al profesor o estudia por ti mismo. Pág. 176

Miami, a 25 de Febrero de 1.986

Sr. Embajador
EMBAJADA DE ESPAÑA en
ESTADOS UNIDOS
WASHINGTON D.C.

Muy Sr. mío:

Deseo   España el próximo verano, en   mes de
Agosto.   ver muchas cosas y visitar   ciudades.   gusta la naturaleza y los paisajes. Por eso me
              recibir información sobre los parques natura-
les y regiones   de España.

                                        los monumentos
También   arte y   folletos sobre   ?
y obras de arte. ¿

Les agradecería

Mi dirección

I.   ¡Conoce España!

1   Brian y Brenda quieren pasar sus vacaciones en España. Piden información a la Embajada española en su país. Ayúdales a completar la carta.

124

Lee e identifica las fotografías. **2**

A. *El viento, durante muchos años, ha formado en las rocas figuras como ésta, en la Ciudad Encantada, de Cuenca.*

B. *Este es el Castillo de la Mota, en Valladolid. Sobresale su alto torreón.*

C. *Fachada de la catedral de Santiago de Compostela, de estilo barroco.*

D. *He aquí la cara de la* Dama de Elche, *esculpida en el siglo III antes de Cristo.*

Escucha y señala el número de la fotografía a la que se refiere cada texto. **3**

E. *Los toros son muy populares en España, especialmente por las corridas de toros. Una de las fiestas más conocidas es la del encierro, en Pamplona, como muestra la foto.*

F. *Un pueblo con sus casas pintadas de blanco y sobre una colina, cerca del mar. Muy típico del sur de España.*

G. *El arte gótico dejó en España varias catedrales. Entre las más bonitas está la catedral de Burgos.*

H. *Las playas del Mediterráneo son las más famosas, por el sol y el clima. Pero en el Norte de España están, seguramente, las más bonitas, como ésta de Santander, grande y de arena suave y dorada.*

Describe tú mismo las fotos restantes. **4**

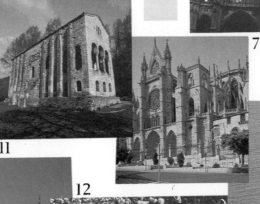

125

5 Estos son Brian y Brenda. Elige la ruta más adecuada para sus vacaciones.

Brian: Estudiante en la Universidad de Miami. De veintidós años. Le gusta la fotografía y estudia arte. Prefiere el arte y la arquitectura antiguos.

Brenda: También estudia en la Universidad de Miami. Tiene veintiún años y hace la carrera de *Filología española*. Le encanta la vida y cultura españolas.

España monumental

Madrid y visita de la ciudad. **Segovia y Avila** y sus monumentos. **Toledo:** ciudad antigua, barrio judío. **Cáceres:** la ciudad monumental de los Conquistadores. **León:** la catedral gótica y el arte románico. **Valladolid-Burgos:** la catedral gótica más adornada y vistosa. Vuelta a **Madrid**.

España: sol y playa

Barcelona: visita de la ciudad. **Valencia:** visita del centro de la ciudad y salida hacia Denia. Dos días en la playa en hotel de tres estrellas. **Alicante:** estancia en hotel de lujo y descanso durante cuatro días en la playa. Salida para Málaga; estancia en el *Parador Nacional* de Nerja durante una semana.

España: restos de cultura árabe

Madrid y visita ciudad. Vuelo a **Valencia** y visita a los monumentos más importantes. Viaje por los pueblos de la costa. Salida en avión hasta **Sevilla**. Visita de la ciudad; barrio de La Cruz. **Granada:** la Alhambra y el Albaicín. **Córdoba:** la Mezquita, el barrio judío. **Madrid**.

Ruta 1 ——————— España monumental

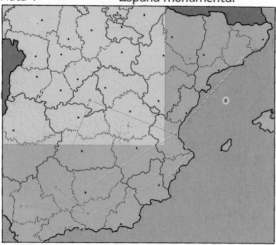

Ruta 2 – – – – – – España: sol y playa

Ruta 3 ——————— España: cultura árabe

6 Escríbeles tú mismo y aconséjales la ruta que has elegido.

7 ¿Qué ruta elegirías tú? ¿Por qué?

II. ¿Cómo llegar a España?

Escucha esta conversación. ¿Qué información buscan o necesitan...? **1**

▶ *Pues en esta ciudad no hay nada.*
▷ *Mira en Murcia.*
▶ *Tampoco hay nada. ¡Ah!, sí, en Cartagena. Hay un curso de español durante el mes de julio.*
▶ *¿En qué fechas?*
▷ *Del siete al veintiséis de julio.*
▶ *¿Cuánto cuesta?*
▷ *Cincuenta y dos mil pesetas, todo incluido. ¡Y en habitación individual!*
▶ *Anne, creo que ese es nuestro curso. ¡Vamos a Cartagena!*

Hospedaje	
Alquiler coche	
Deportes	
Aprender español	

Da consejos a quien desea ir a España. **2**

▶ Vete a(l)... **(consulado...)**
▶ Pregunta **a**
▶ Lleva **contigo**
▶ Ten cuidado **con el sol**
▶ No seas **descuidado**

Escucha y averigua qué se puede hacer para llegar a Cartagena. **3**

Instrucciones para llegar a Cartagena

Cartagena está a 45 kilómetros de Murcia. Desde allí puede ir en autobús o en tren. Si viaja en avión hasta Alicante o San Javier, desde el aeropuerto puede coger un taxi. Si viaja usted en tren: hay varios trenes diarios a Cartagena desde Madrid y a Murcia desde Barcelona. Le aconsejamos que coja el *Talgo*, es más cómodo y rápido. Si viaja usted en coche, desde la frontera española con Francia tiene usted autopista hasta Alicante. Desde allí siga la carretera de la costa hasta Cartagena. Si tiene alguna duda llame a la Oficina de Turismo de Cartagena (Tel. 968-506483). Y ¡buen viaje!

Avión	
Tren	
Coche particular	
Autobús	

4

A. Explica cómo irías tú a Cartagena.

B. Aconseja a un amigo o compañero, según los modelos.

> coge / no cojas
> haz / no hagas
> vete / no vayas

5 Escribe a un amigo dándole instrucciones para llegar al lugar donde tú vives, desde la ciudad más cercana.

III. España es así.

1 Brian y Brenda comienzan sus vacaciones. Hoy es el primer día de viaje. Están en el hotel. Anota todo aquello que, en tu opinión, les será extraño por ser diferente. Comunícalo a la clase.

2 Escucha y ordena estos dibujos.

Alfred: ¿Tienes tabaco?
Ingrid: No, allí hay un estanco. Compremos.
Alfred: Buenas tardes. Un paquete de tabaco rubio, por favor.
Dependiente: ¿Desea una marca en especial?
Alfred: Si tienen Camel, lo prefiero.
Dependiente: Sí, son ciento ochenta y cinco pesetas. Gracias.
Alfred: Adiós.

(En una piscina)

Margaret: Después de tanto sol, me duele la cabeza.
Alan: Espera un momento. Pediré una aspirina en el bar. Recuerda que esta tarde hemos de comprar pastillas en una farmacia.
Alan: Por favor, ¿sería tan amable de darme una pastilla para el dolor de cabeza?
Camarero: Oh, por supuesto. Aquí tiene una aspirina.

(Un albañil a una mujer que pasa andando)

Albañil: ¡Ole, tu gracia! ¡Guapa! ¡Y luego dicen que los monumentos no andan!
Louise a Marie: ¿Qué me ha dicho? ¿Por qué me ha gritado?
Peter: No te ha gritado. Eso es un piropo. Los españoles dicen esas cosas a las mujeres cuando les gustan, para expresar su admiración.

Lee y compara los horarios de España con los de tu país. **3**

▶ *Fíjate, Anne. Hay varios turnos de comida. Bueno, excepto el desayuno: es siempre de siete y media a diez. Pero podemos comer a las doce y media, a la una y media y a las dos y media. ¡Fíjate! ¡Hasta las dos y media! Es casi la hora de cenar... Y la cena empieza a las ocho y media. ¡Qué tarde! y también podemos cenar a las nueve y media. ¡Pero si es casi la hora de ir a la cama! ¿Qué turno elegimos?*

▷ *El último. Así cambiamos de costumbres...*

Compara	Desayuno	Comida	Cena
España			
Tu país			

Pregunta por estos sitios según el modelo. **4**

▷ *¿Cómo puedo ir a...?*
▷ *Es mejor que (coja / vaya en...)*

¿Recuerdas alguna excursión fuera de tu ciudad o pueblo? Cuenta cómo fue el primer día. **5**

Escucha y escribe. **6**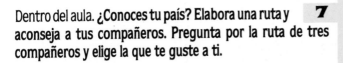

Dentro del aula. ¿Conoces tu país? Elabora una ruta y aconseja a tus compañeros. Pregunta por la ruta de tres compañeros y elige la que te guste a ti. **7**

Ciudad/Lugar	Actividad	Qué visitar

Consulta al profesor o estudia por ti mismo.   Pág. 177

I. Vivirá muchos años.

1 Escucha a la gitana.

Gitana: *¡Señor, su suerte! Le diré su suerte por sólo doscientas pesetas!*

Luis: *Muy bien. Me gusta conocer el futuro. Le daré ciento cincuenta pesetas.*

Gitana: *Deme su mano, la derecha.*
Es usted joven. La línea de la vida es larga y doble. Vivirá usted muchísimos años. Hacia el final la línea se rompe un poco: tendrá usted una enfermedad grave. Pero la superará. En amores tiene usted suerte: su mujer le querrá mucho y le dará tres hijos. Pronto saldrá de viaje: irá a un país lejano, en compañía de otra persona que le hará muy feliz.
Su trabajo le va muy bien: ganará todavía más dinero, será muy rico; la línea del dinero es indefinida.
Su corazón y sus sentimientos pasarán por una crisis, una crisis de amor. Pero no se preocupe: la superará. Su suerte va siempre hacia arriba. Será usted importante en un futuro próximo...

Luis: *¡Estupendo! ¡Voy a celebrar mi suerte!*

Gitana: *Oiga, señor, ¡mis doscientas pesetas!... ¡Ahora sí, vaya usted con Dios!*

2 Escucha de nuevo el texto y anota la suerte.

Salud	
Dinero	
Amor	
Familia	
Profesión	

3 Observa y une con una raya las tres formas correspondientes de cada verbo.

tener •   • querré •   • salgo
hacer •   • saldré •   • sé
salir •   • sabré •   • tengo
saber •   • tendré •   • hago
querer •   • haré •   • quiero
poder •   • daré •   • puedo
dar •   • iré •   • voy
ir •   • podré •   • doy

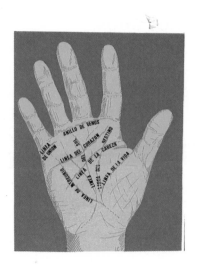

4 A. Observa.

Lectura de la mano

Línea de la vida

Línea ancha: desgaste de vitalidad.

Línea en cadena: vida delicada, con muchos peligros menores.

Línea rota al principio: enfermedad grave en la niñez.

Línea tortuosa: humor variable y caprichoso.

Línea corta: peligro en una edad determinada.

Línea separada en dos: enfermedad grave.

Línea doble: refuerza la salud y la vitalidad.

B. ¿Puedes leer estas manos?

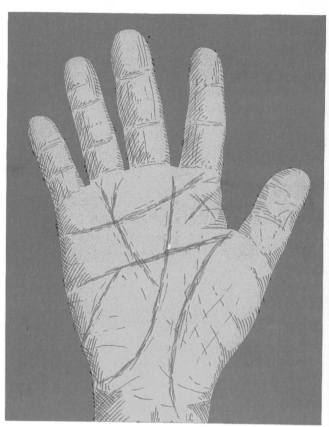

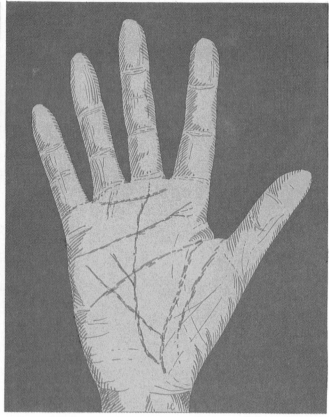

5 Mira la mano de tu compañero y haz predicciones sobre su futuro.

6 Fuera del aula. **Busca un conocido que te lea la mano. Informa a la clase.**

II. ¿Crees en el horóscopo?

Lee y selecciona tu horóscopo. 1

A. Tendencia a quedarse en casa, ocupado con asuntos de familia. La profesión le irá regular, con algún problema de trabajo. Cuidado con la salud: puede verse obligado a guardar cama.

B. Posibilidad de realizar un viaje. Probable pérdida de dinero en el juego. Mayor entusiasmo y pasión en sus sentimientos. Semana favorable para el amor.

C. La profesión le obligará a viajar y dejar a su familia por algún tiempo. Buenas perspectivas económicas. Gastos con su coche. Semana favorable a las relaciones con los demás.

Completa. 2

_____ problemas con la salud. Pero durante la semana _____ a una persona que te _____ feliz. _____ de ser cuidadoso con tus cosas. _____ malas noticias al final de la semana. El domingo _____ que guardar cama. No te _____ ni _____ la puerta. Tampoco _____ al teléfono: hay muchos peligros.

A. Lee. 3

El horóscopo de la semana

Aries 20-21 de marzo a 19-21 de abril
Una antigua amante volverá de nuevo a tu vida. Tendrás problemas familiares. Pero no tomes decisiones.

Tauro 19-21 de abril a 20-22 de mayo
Ocurrirá algo importante en tu trabajo. No lo tomes en serio y trata de reírte de ello.

Géminis 20-22 de mayo al 21-22 de junio
Pasado mañana tendrás buenas noticias. Pero pronto estas noticias se cambiarán en malas. No compres nada importante.

Cáncer 21-22 de junio al 22-23 de julio
Encontrarás a alguien: puede cambiar tu vida. Aprovecha esta oportunidad: las cosas buenas no se repiten dos veces.

Leo 22-23 de julio al 22-24 de agosto
Recibirás una excelente posibilidad para tu trabajo y profesión. Tu familia no te ayudará y pondrá muchas dificultades.

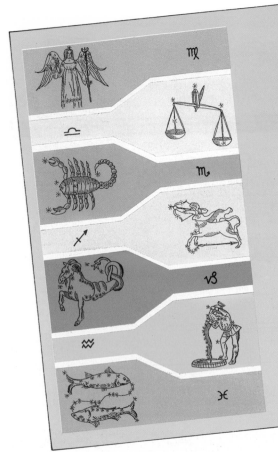

Virgo
22-24 de agosto al 22-24 de septiembre

Estarás muy ocupado por asuntos de negocios, compras, etcétera, hasta el viernes. El viernes por la tarde tendrás un pequeño accidente. Pero no será grave.

Libra
22-24 de septiembre al 23-24 de octubre

Será una semana aburrida. Lee, escucha música y no salgas de casa.

Escorpio
23-24 de octubre al 22-23 de noviembre

Te sentirás más feliz en casa. El jueves harás un largo e inesperado viaje.

Sagitario
22-23 de noviembre al 21-22 de diciembre

Recibirás una carta con noticias sorprendentes. Un antiguo amigo vendrá a verte. Pero no faltes al trabajo: es peligroso.

Capricornio
21-22 de diciembre al 20-21 de enero

Estarás toda la semana preocupado por el dinero. Pasarás tus ratos libres arreglando el coche.

Acuario
20-21 de enero al 18-19 de febrero

Excelentes relaciones amorosas. El jefe te subirá el sueldo.

Piscis
18-19 de febrero al 20-21 de marzo

Mejorará tu economía. Pero ¡cuidado! El dinero podría acabarse también al final de la semana.

B. ¿Qué signos coinciden en...

trabajo?	
dinero?	
amor?	
otros asuntos?	

4 ¿Qué te dice el horóscopo? ¿Y a tu compañero/a?

	Tú	Tu compañero/a
Amor		
Salud		
Ocio		
Trabajo		
Dinero		

5 Encuentra tres compañeros que tengan un horóscopo...

	Positivo	Negativo
Salud		
Dinero		
Relaciones		

HOROSCOPO 87

III. La sociedad del tercer milenio.

Noticia de un periódico de hoy. **1**

El precio del petróleo ha bajado de nuevo. El dólar también ha bajado. Los países árabes controlan el mercado libre y no permiten que los precios suban. Los países de Occidente, por el contrario, tratan de parar la bajada: si el petróleo baja demasiado, la gente volverá a gastar más dinero y dentro de uno o dos años la energía subirá de nuevo. Además, si el petróleo es muy barato, se pararán las investigaciones sobre otras fuentes de energía.

En grupos. Debéis escribir las noticias de un periódico del tercer milenio. **2**

Temas
1. Vida urbana/rural.
2. Defensa.
3. Amor y familia.
4. Gobierno y política.
5. El espacio.
6. Economía.

Resume en éste cuadro las noticias de tu grupo sobre... **3**

Temas	
1	
2	
3	
4	
5	
6	

Escucha a los demás grupos y resume sus noticias en un cuadro similar. **4**

El cuadro anterior es la sociedad del tercer milenio. Discute con tus compañeros y haz un informe. **5**

Consulta al profesor o estudia por ti mismo. Pág. 177

I. Eran tres...

1 Forma frases uniendo un elemento de cada columna.

Juan •   • **comimos** en el campo.
ella •   • **estuvo** sentada todo el día.
nosotros •   • **os lavasteis** la cara.
ustedes •   • **salisteis** tarde.
los niños •   • **llegó** cansado.
vosotros •   • **no hicieron** nada.
tú y tu hermano •   • **se** pusieron de pie.
tú •   • **compraste** un coche usado.

2 Esta es la historia de un suceso: escucha y completa las palabras que faltan.

▶ *¡Manos arriba! ¡Esto es un atraco!*
Los ladrones llevaban una pistola cada   Eran tres.
Entraron a   nueve y cinco. El banco
abierto a las nueve y no había nadie dentro. Llevaban
la   tapada y una gabardina larga, de
gris oscuro.

▶ *¡Queremos el   , todo el dinero!* —dijeron—.
Si hacen lo que les decimos no les pasará
Eran jóvenes los tres. Su   fuerte y seca. Se
sentían seguros. Uno se quedó a la   , otro
entró en el despacho del   y el tercero apuntaba al cajero.

▶ *¡Todos   pie, con las manos   la
cabeza!*
Los empleados se levantaron, algunos con miedo, y
pusieron sus   sobre la cabeza. El cajero sacó
el dinero y lo dejó sobre la mesa, en una   . El
joven que le apuntaba lo cogió, hizo una   al
de la puerta, llamó al otro y salieron con rapidez. Sonó la
        Llegó la   unos minutos des-
pués. Pero los atracadores estaban   muy
lejos.

137

3 Escucha de nuevo el texto y corrige lo que sea falso.

- La policía llegó cuando los atracadores estaban en el banco todavía.
- Los atracadores dispararon dos veces.
- Eran tres atracadores.
- Uno de ellos se llevó al director.
- El cajero puso el dinero sobre la mesa.
- La alarma sonaba continuamente.
- La policía cogió a los atracadores.

4 Lee el texto de la página anterior: subraya las formas de indefinido y pon un círculo en las formas del imperfecto.

5 Resume el suceso con pocas frases. Utiliza las formas anteriores.

Eran...	Entraron...

6 Lee el texto siguiente y busca más información sobre...

el director, las pistolas, la policía, los empleados y el valor.

El director del banco no durmió aquella noche. Estaba inquieto. El atraco de la mañana le había producido una crisis de nervios. Cuando pensaba en ello se ponía más nervioso todavía: las fotos de la cámara oculta mostraban a los tres atracadores con sus pistolas en la mano... ¿Cómo no lo había notado él? La policía lo vio enseguida.
▶ *¡Esas pistolas son de juguete!, ¡son falsas!*
Y él, bueno... ¿Cómo podía pensar que no eran pistolas de verdad?
▶ *Pero ¿ha visto usted alguna pistola?*
▷ *¡Claro!* —contestaba él— *Tengo permiso de armas y también tengo una en casa. Incluso soy aficionado a las armas.*
Pero no se había dado cuenta. Ni él ni nadie en el banco. El miedo los había dominado a todos.

Describe la reacción del director. **7**

Grupos de cuatro. **Dad vuestra opinión sobre la actuación y que han tenido antes y después del atraco:** **8**

- el director.
- el cajero.
- la policía.
- los atracadores.

II.   ¿Qué sucedió en vacaciones?

Por parejas. **Uno pregunta y otro responde dando su opinión.** **1**

> ¿Cómo eran los coches en 1850?
>
> ¿Cómo son los coches en 1986?

ANTES

AHORA

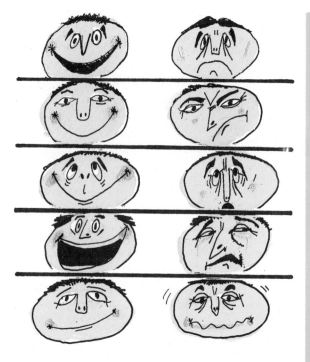

2. Haz frases según el modelo.

Ejemplo:

Ayer estaba	*contento* *alegre* *feliz* *de buen humor* *tranquilo*	*pero hoy* *estoy*	*triste* *enfadado* *deprimido* *aburrido* *nervioso*

3. Cuéntalo en tiempo pasado.

Vacaciones junto al mar

Estamos organizando unas vacaciones de quince días junto al mar. Saldremos a las cuatro y media, con el coche lleno de maletas y con caras alegres. La playa está cerca, a 45 kilómetros. Llegaremos en una hora. Junto al mar lo pasaremos bien: nos bañaremos cada día, tomaremos el sol, pasearemos, jugaremos y... dormiremos mucho.

4. Por parejas. ¿Cómo fue vuestro viaje? Utiliza las siguientes ideas.

1.°	Billete		7.°	Comida
2.°	Coche		8.°	Hotel
3.°	Frontera		9.°	Seis días
4.°	Autopista		10.°	Cansado
5.°	Ciudad		11.°	Interesante
6.°	Monumentos			

5. Por parejas. Completa y dibuja la última viñeta de esta secuencia: comenta lo que ha pasado y explica por qué.

III. Accidentes de carretera.

Mira el dibujo de la derecha. ¿Qué ha ocurrido? **1**

Discute: ¿Quién tuvo la culpa? **2**

Ejemplo: *Creo que el coche no respetó el semáforo...*

Ordena estas imágenes. **3**

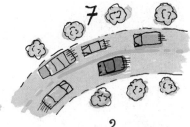

Escribe una carta a un amigo/a contándole el accidente. **4**

A. ¿Recuerdas algún accidente de carretera? Piensa en los detalles y anótalos. **5**

B. Interrogatorio. Responde a las preguntas de tu grupo.

¿Quién?	¿A dónde?	¿Cuándo?	¿Cuántos?
¿Cómo?	¿Cuánto?	¿Dónde?	

Consulta al profesor o estudia por ti mismo. Pág. 178

I. Ninguno acudió a la cita

1 Escucha atentamente las disculpas de tres personas por no acudir a una cita con Luis.

Juan
Realmente tenía ganas de verte y quería estar allí, en la esquina de la calle Izquierdo, a la cinco en punto. Pero a las cuatro llovía, y a las cinco seguía lloviendo. Odio la lluvia. Y además no tenía paraguas. Así que lo siento mucho, pero no pude ir.

Antonio
No sabes cuánto lo siento. Porque de veras: yo nunca falto a una cita. Y menos si es un amigo. Pero ayer era un día especial: mi hermano mayor llegó de Madrid. Mi otra hermana había comido en casa con nosotros. Y yo no podía dejarlos solos, después de un año sin vernos. Por eso no pude estar allí a las cinco.

Amparo
A las cinco menos cuarto estaba ya arreglándome para salir. Con quince minutos tenía tiempo suficiente, ya que vivo cerca de la calle Izquierdo. Pero mientras me arreglaba me acordé de la Universidad: tenía una clase a las cinco y media. Y ni quería ni podía perderla. No sabía qué hacer, porque no quería faltar a clase. Así que decidí escribirte esta nota para disculparme y explicar las razones de mi ausencia.

2 ¿Por qué no acuden a la cita?

Juan	
Antonio	*tuvo que*
Amparo	

3 Lee de nuevo las disculpas de Juan, Antonio y Amparo y anota las partículas que introducen un razonamiento.

Así que...

4 Inventa disculpas con estas partículas. Usa tus ideas.

5 Practica con tu compañero/a.

¿Por qué no viniste	a mi casa? al cine? a clase? a la reunión?	Porque	tenía prisa. estaba enfermo. perdí el autobús. se averió mi coche.

6 Comenta en grupo: ¿Crees que se separarán?

No se quieren, se separarán	porque...
Son muy felices,	por eso de modo que...

II. Hubo serias razones.

1 Test cultural. ¿Sabes por qué...?

▶ *los perros no sudan?*
▶ *empezó la primera guerra mundial?*
▶ *mataron a Kennedy?*
▶ *se separaron los Beatles?*
▶ *se hunde Venecia?*

Las razones de un *cese*. Lee y di cuál te parece más real. **2**

Los diplomáticos occidentales en Moscú daban ayer cuatro razones para explicar el cese de Dubinin como embajador de la URSS en España:

1. La necesidad de cambiar la actitud soviética sobre el referéndum en España acerca de la OTAN.
2. La pérdida de influencia de Dubinin entre los gobernantes españoles.
3. Su actitud frente a los diversos grupos comunistas españoles.
4. Puesto que Dubinin ya tiene edad suficiente, quieren ascenderle de categoría y por eso debe dejar la Embajada en España.

Piensa y narra sucesos políticos con explicación dudosa que hayan ocurrido en tu país. **3**

Lee y averigua. ¿Por qué estalló el Challenger? **4**

De repente se dio una gran explosión: el Challenger se convirtió en pedazos, que cayeron al mar. Nadie creía lo que veía. Todos se quedaron quietos, sin habla... Al día siguiente empezó la investigación: ¿Por qué había estallado el cohete? Las imágenes de televisión eran una ayuda para conocer las causas. Se hablaba de varias, pero todas eran hipótesis. ¿Un descuido de los astronautas? ¿Una orden errónea de los técnicos de la NASA? ¿Un fallo de los computadores? Todo era posible. Luego se comprobó que la explosión había ocurrido en el cohete propulsor. Quizá los astronautas lo habían destruido por avería. Todavía quedaban muchas dudas...

Lee y descubre. **5**

A. **¿Cómo se llamaban los redactores de la Constitución española?**

B. **¿Por qué estaban seleccionados?**

A la muerte del general Franco España necesitaba una Constitución urgentemente. Así lo entendieron todos los partidos políticos de importancia al final de los años setenta. Era necesario hacer una Constitución abierta, válida para todos los españoles y para el futuro. Era un trabajo difícil. No debía hacerla solamente el partido en el Gobierno. Así que se formó una Comisión de representantes de varios partidos políticos. Cada partido nombró a un representante. Peces-Barba representaba al Partido Socialista. Solé Tura había sido elegido por el Partido Comunista. La UCD eligió a Rodríguez de Miñón y Gabriel Cisneros. Los conservadores de AP estaban representados por Fraga Iribarne. Había otros partidos políticos con un número reducido de Diputados en el Parlamento. De ellos, la «minoría Catalana» eligió a Roca para contribuir con sus puntos de vista. Al cabo de un año, aproximadamente, la Comisión presentó un Proyecto de Constitución: la que luego fue aprobada en referéndum.

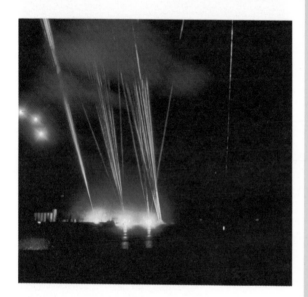

6   Escribe textos para estas noticias de teletipo.

Accidente nuclear central Chernobil.

Policía detiene jefe banda terrorista GRAPO.

Anciana apresa al ladrón.

Libia atacada por aviones americanos.

Petróleo a menos de 12 dólares.

7   Fuera del aula. Recopila los sucesos más importantes que han ocurrido en tu país en los últimos diez años? ¿Cuál fue la razón? Informa a la clase.

III.   Segundas razones.

1   ¿Recuerdas las disculpas de Juan, Antonio y Amparo?

A. Juan no acudió a la cita porque llovía.
B. Antonio porque había venido su hermano de Madrid.
C. Amparo porque tenía clase.

¿Crees que eran razones serias? Piensa en alguna otra razón para no ir.

¿Te gustaría ser amigo de alguno de los tres que no acudieron a la cita? **2**

	Sí	No	¿Por qué?
Juan			
Antonio			
Amparo			

Lee la nota de respuesta que escribió Luis, el cuarto amigo, a Juan, Antonio y Amparo. **3**

Querida amiga:
He recibido tu nota.

Querido amigo:
He recibido tu nota. Gracias por tus explicaciones. Yo, como siempre, estaba allí a las cinco en punto. Y esperé media hora. Volví a casa muy enfadado y triste. De los tres, no vino nadie.
La próxima vez avisa antes, por favor.
Un abrazo,

Luis

Escribe tú una nota de respuesta, similar a la de Luis. Luego compárala con la de otro compañero. **4**

Escucha las razones reales por las que Juan, Antonio y Amparo no fueron a la cita. **5**

A. Juan no fue porque Luis no le es simpático. Es muy pesado y siempre está hablando de política.

B. Antonio no acudió a la cita porque su novia le había llamado por teléfono y quedaron en verse a las cinco y cuarto. Naturalmente, prefería a su novia antes que a Luis.

C. Amparo dio la excusa de que tenía una clase en la Universidad. Realmente a quien quería ver en la Universidad era a Ricardo, de quien está muy enamorada. La clase le era indiferente.

Resume las razones reales para no acudir a la cita. **6**

Juan	
Antonio	
Amparo	

¿Cómo habrías reaccionado tú en tal caso? **7**

Consulta al profesor o estudia por ti mismo. Pág. 178

147

I. Se ve raro.

1   Observa los personajes de arriba y usa tu imaginación.

A. ¿Cómo se llaman?
B. ¿Qué relación hay entre ellos?
C. ¿Qué están diciendo?
D. ¿Qué ocurrió antes?
   ¿Qué pasó después?
E. Cuenta toda la historia.

Ordena esta historia y cuéntala utilizando... **2**

primero • luego • a continuación • después • finalmente

Escucha y completa. **3** 🔘🔘

Esteban leía tranquilamente sentado ▬▬▬ el sofá. La novela ▬▬▬ muy interesante. Pero de pronto nota que su pie ▬▬▬ le duele un poco. Sigue ▬▬▬ Después de unos minutos, piensa de ▬▬▬ en el pie. Le ▬▬▬ más. Se inquieta, ▬▬▬ toca y se levanta. Quiere andar, ▬▬▬ observa que ▬▬▬ ▬▬▬ el pie en el suelo cojea un poco. En una ocasión ▬▬▬ leído que todos los dolores ▬▬▬ reflejan en la cara.

Así que va ▬▬▬ espejo y ▬▬▬ mira. Estaba sin peinar, en pijama. ▬▬▬ ve raro y con cara amarillenta. Se ▬▬▬ Llama rápidamente al ▬▬▬ Se viste precipitadamente y sale corriendo. El médico le ▬▬▬ No encuentra ▬▬▬ Al final ▬▬▬ quita el zapato para ver ▬▬▬ el pie. Entonces Esteban se ▬▬▬ aliviado: ya no le duele nada. Su zapato ▬▬▬ demasiado pequeño. ▬▬▬ levantarse se había puesto el zapato de ▬▬▬ hijo.

149

4 Compara el texto anterior con el que tú has escrito o contado.

Las acciones de Esteban han sido...

Primero _____
Segundo _____
Tercero _____
Cuarto _____
Quinto _____
Sexto _____
Séptimo _____
Octavo _____
Noveno _____
Décimo _____

II. Experiencias.

1 Cuenta a tu compañero según el modelo.

> Por la tarde **me bañaba** cada día. **Nadaba** y **paseaba**.
> Pero un día **me herí** en el pie con una roca. Y ya no **pude** nadar en todo el verano.

2 En grupo. **Haz preguntas sobre esas experiencias.**

> ▶ **¿Qué** le ⎰ ocurría/ocurrió a...?
>   pasó?
>   ha ocurrido/pasado?
>
> ▶ **¿Cuándo** le pasó/ocurrió... eso?
>
> ▶ **¿Cómo** le ocurrió...?
>
> ▶ **¿Por qué** le ocurrió...?

Señala con una cruz lo que oyes. **3** ⦿⦿

☒	lo oído _____ los oídos	☐
☐	toda _____ todo	☐
☐	eso _____ esto	☐
☐	luego _____ logro	☐
☐	comprar _____ compró	☐
☐	he dormido _____ dormido	☐
☐	la normal _____ lo normal	☐
☐	que _____ quien	☐
☐	puede _____ pueden	☐

Escucha el siguiente diálogo **y señala las palabras que has identificado en el ejercicio anterior.** **4** ⦿⦿

Paco: *¡Hola, Carlos! ¿Qué tal?*
Carlos: *Regular. No he dormido en toda la noche.*
Paco: *¿Qué te ha pasado?*
Carlos: *Nada especial. Lo normal.*
Paco: *Y ¿qué es lo normal?*
Carlos: *Pues que no he dormido bien.*
Paco: *¿Y eso...?*
Carlos: *Primero el niño que llora, luego el perro que ladra porque llora el niño y, finalmente, el vecino que golpea la pared porque el perro ladra, el niño llora y yo grito.*
Paco: *Pero eso tiene fácil solución.*
Carlos: *¡Ah, sí!*
Paco: *Compra tapones para los oídos.*
Carlos: *¡Claro! ¡Si seré tonto! ¿Cómo no lo habría pensado antes? Ahora mismo voy a la farmacia.*

A. Explica por qué Carlos no ha dormido bien. **5**
B. ¿Qué solución le da su amigo?
C. ¿Qué habrías hecho tú en su caso?

6 Viajes.

¿Recuerdas
| una persona en especial?
| qué os ocurrió un día a los dos?
| qué sentiste en aquel momento?

III. Erase una vez...

1 Este es un relato desordenado. Ordénalo y cuéntalo.

1. Paseaba por la calle.
2. en una esquina, detrás de unos árboles
3. tenía frío
4. lo cogí
5. y hambre
6. encontré un perrito
7. le di de comer
8. era de oro
9. lo puse junto al fuego
10. lo llevé a casa
11. entonces me di cuenta
12. tenía un collar
13. lo bañé con agua caliente
14. se llamaba *Tom.*
15. su nombre estaba escrito:
16. el collar tenía una medalla.

2 Pon un título a la historia que has construido y leela.

Relatos fantásticos: *Mi valle.* **3**

Érase una vez...

A • Describe un valle

B • ¿Quién vive allí?
  • Describe a tu héroe. ¿Cómo se llama?

C • ¿Quiénes son sus amigos íntimos?
  • ¿Qué relación hay entre ellos?

Un día...

D • Tu héroe sale del valle.
  • ¿Por qué tiene que salir?
  • ¿A dónde va? Describe el lugar.

Pero...

E • Se enfrenta a un problema muy grande.
  • ¿Cuál es la dificultad?

Sin embargo...

F • Tu héroe ha encontrado la solución.
  • ¿Quién le ha ayudado?
  • ¿Qué poderes tenía?

De vuelta al valle...

G • Sus amigos lo/a están esperando.
  • ¿Qué le regalan?
  • ¿Se casa con una princesa/un príncipe?

Cuéntalo a la clase. **4**

Fuera del aula. **Escribe tu cuento con la ayuda de alguien y tráelo a clase.** **5**

Consulta al profesor o estudia por ti mismo. Pág. 179

153

1 Explica cómo se pone el coche en marcha.

1. **Abre** la puerta.
2. **Quita** el freno.
3. **Quita** la marcha.
4. **Pon** la llave de contacto y arranca.
5. **Aprieta** un poco el acelerador.
6. **Pisa** el embrague.
7. **Mete** la primera marcha.
8. **Suelta** el embrague poco a poco.
9. **Acelera** con suavidad.
10. ¡Y a viajar!

2 Ahora escucha y completa.

Está usted ante el mejor coche del año. Antes de entrar, ▭▭▭▭ la puerta. Siéntese cómodamente. Luego▭▭ ▭▭▭▭ el freno de mano; la palanca de la marcha en punto muerto.▭▭▭▭ la llave de contacto. Tranquilamente. Ya funciona el motor. Ahora▭▭▭▭un poco el acelerador.▭▭▭▭el embrague, un poco más, hasta el fondo. ▭▭▭▭ la primera marcha. Muy bien.▭▭▭▭ poco a poco el embrague.▭▭▭▭con suavidad. ¡Ya está! Ya sabe usted conducir nuestro coche del año.

3 Da instrucciones a tu compañero.

Para | conducir un coche
 | una moto
 | etc.

▶ **tienes que** | abrir la puerta.
debes | poner la llave de contacto.
 | etc.

4 Dialoga según el modelo.

▶ *¿Qué se necesita para* | ser piloto
 | ser médico?
 | ser astronauta?
 | capitán de barco?
 | general?
 | profesor de español?

▷ *Para .... se necesita*

155

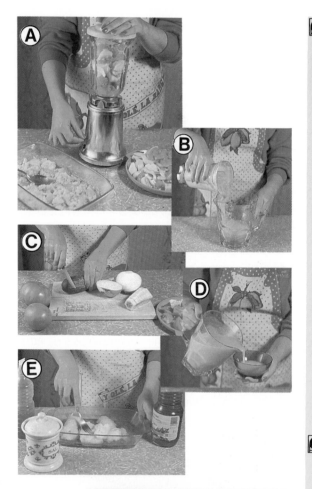

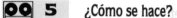

5 ¿Cómo se hace?

El *gazpacho andaluz* es una bebida refrescante que se toma en el sur de España. Para poder prepararlo escucha esta receta y numera las operaciones del dibujo.

Ingredientes	
ajo	sal
pepino	vinagre
pimiento	cebolla
aceite	tomate
pan	agua

Gazpacho andaluz

1. Pelar/Limpiar ajo, cebolla, pimiento, pepino y tomate.
2. Mezclar estas verduras con aceite de oliva, sal, vinagre, pan y agua.
3. Triturar todo.
4. Colar y poner en frío.
5. Servir en taza o vaso.

6 Otro plato típico español es la *paella*. Podéis preparar una rica *paella de mariscos* ordenando estas operaciones. Después escuchad nuestra receta y comparadla con la vuestra.

Ingredientes	
rape	pimiento
almejas	tomate
calamares	guisantes
gambas	judías verdes
langostinos	ajo
cigalas	arroz

Dentro del aula. **Piensa en una receta de cocina. Pregunta a tus compañeros de clase hasta que encuentres tres recetas de tu gusto.** **7**

Plato	Preparación

II. Sirve para...

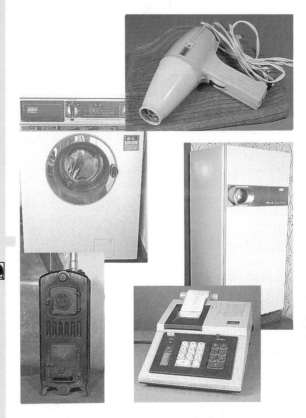

Escucha y adivina de qué se trata. **1** 〔○○〕

A. Sirve para conservar carne, pescado, frutas, verduras, huevos, etc.
B. Sirve para limpiar la ropa sucia, con jabón y agua.
C. Sirve para calentar la casa.
D. Sirve para secar el pelo.
E. Sirve para hacer cuentas.

Describe los aparatos dibujados a la derecha según el modelo. **2**

Esto es un frigorífico. Tiene dos puertas, una arriba y otra abajo. Arriba se ponen los alimentos para congelarlos. Abajo se ponen verduras, huevos, etc., para conservarlos más tiempo. Funciona con electricidad.

En grupo. **Practica según el modelo.** **3**

¿Para qué sirve...?
_____

¿Y cómo funciona?
_____

frigorífico
televisor
radio
calentador
calculadora
máquina de escribir
máquina de café
fotocopiadora
máquina de fotos

157

Códigos territoriales de España

Alava	945	Logroño	941
Albacete	967	Lugo	982
Alicante	965	Madrid	91
Almería	951	Málaga	952
Avila	918	Murcia	968
Badajoz	924	Navarra	948
Baleares	971	Orense	988
Barcelona	93	Oviedo	985
Burgos	947	Palencia	988
Cáceres	927	Palmas, Las	928
Cádiz	956	Pontevedra	986
Castellón	964	Salamanca	923
Ciudad Real	926	Sta. Cruz Tenerife	922
Córdoba	957	Santander	942
Coruña, La	981	Segovia	911
Cuenca	966	Sevilla	954
Gerona	972	Soria	975
Granada	958	Tarragona	977
Guadalajara	911	Teruel	974
Guipúzcoa	943	Toledo	925
Huelva	955	Valencia	96
Huesca	974	Valladolid	983
Jaén	953	Vizcaya	94
León	987	Zamora	988
Lérida	973	Zaragoza	976

Códigos internacionales

Alemania R. F.	49	Hong-Kong	852
Argentina	54	India	91
Australia	61	Italia	39
Bélgica	32	Japón	81
Brasil	55	México	52
Costa Rica	506	Nicaragua	505
Canadá	1	Panamá	507
Colombia	57	Paraguay	595
Chile	56	Perú	51
Ecuador	593	Puerto Rico	80
El Salvador	503	Reino Unido	44
Estados Unidos	1	Rep. Dominicana	508
Filipinas	63	Turquía	90
Francia	33	Uruguay	598
Guatemala	502	Venezuela	58

4 Para llamar por teléfono: lee las instrucciones:

A. Coja el auricular.
B. Espere hasta oír un tono agudo.
C. Introduzca monedas de 5, 25, 50 ó 100 pesetas.
D. Marque el número deseado.
E. Si llama fuera de la provincia, marque primero el prefijo.
F. Si desea continuar hablando, introduzca más monedas cuando oiga un tono intermitente.

Llamadas al extranjero:
Para llamar al extranjero debe usted marcar primero el 07, esperar un pitido, marcar el código del país, luego el de la provincia adonde llama y, finalmente, el número deseado.

5 Practica.
A. Vives en Madrid; explica cómo puedes llamar a Barcelona.
B. Vives en Sevilla; explica cómo puedes llamar a Francia.

6 Practica (al teléfono) según este modelo.

> ¿Sí? Dígame.
> ¿Puede darme el teléfono de...?
> Sí. Un momento. El número de... es el...
> Muchas gracias

Policía	091
Guardia Civil	25 11 00
Urgencias	23 11 66
Bomberos	25 60 80
Renfe	25 34 67
Agua	23 40 87
Electricidad	35 90 75
Gas	25 60 00

III. Conecte la clavija...

1 ¿A qué aparato corresponden estas instrucciones?

Este receptor está preparado para funcionar manualmente o con mando a distancia. Para ponerlo en marcha:
— Conecte la clavija del enchufe a la corriente de 220 V. Pulse el interruptor general. El receptor funcionará a los pocos segundos. Verá usted el canal 1. El nivel de sonido, brillo, color y contraste debe elegirlos usted mismo.

2 Lee el texto anterior y anota las instrucciones que encuentres.

3 Escribe las instrucciones adecuadas para cada una de las fotografías de la derecha.

4 Lee estas instrucciones. ¿A cuáles de los aparatos mencionados en esta lección corresponden cada una de ellas?

Instrucción	Aparato
Marque el número deseado	
Conecte la clavija	
Quite la marcha	
Teclee la operación a efectuar	
Pulse el interruptor	
Ponga el termostato al máximo	
Acelere con suavidad	

5 Escucha y escribe correctamente.

6 Señala las palabras opuestas.

ningún • conectar • poner • deshacer • arreglado • continuar • blanco • algún • quitar • desconectar • estropeado • parar • negro • hacer

7 Usa tus ideas: piensa en un aparato fantástico.
A. ¿Cómo es?
B. ¿Cómo funciona?
C. Da instrucciones para su uso.
D. Pregunta a tu compañero por el suyo.

8 Fuera del aula. Busca aparatos con instrucciones en español y tráelos a clase.

Consulta al profesor o estudia por ti mismo. Pág. 179

159

Señor Ramírez-Gutiérrez

Juan-Paco

Emilio-María

I. ¿Qué dicen las noticias?

A. ¿A quién corresponden estas conversaciones?

1

▶ Hoy ha llegado usted tarde. Es la segunda vez que ocurre. Su trabajo comienza a las nueve en punto. No a las nueve y veinticinco. Los trabajadores de esta empresa son puntuales o cambian de trabajo. Eso es todo.

▷ Pero es que el autobús...

▶ No hay disculpas. ¡Coja usted un taxi si el autobús se estropea!

2

▶ Hoy no puede ser; tengo mucho trabajo.

▷ Pero, papá, me prometiste ir conmigo al cine esta noche...

▶ Sí, es verdad, te lo prometí. Pero hoy no puede ser. Tengo que acabar de leer este informe. Es muy importante. Si no tu papá no podrá ganar dinero para comprarte regalos.

▷ ¡Pues entonces cómprame un regalo!

3

▶ Mañana le diremos a tus padres que nos casamos.

▷ Sí, mañana.

▶ Y nos casaremos en primavera, con las flores, el buen tiempo...

▷ Sí, en primavera.

▶ ¡Qué alegría! Viviremos juntos para siempre...

▷ ¿Cómo? ¿Dices que para siempre...?

4

▶ Pues este vestido es precioso. El verde te sienta muy bien.

▷ Sí, además va bien con el amarillo...

▶ Y con mi pelo rubio. Ahora sólo me faltan unos zapatos.

▷ En la tienda de al lado he visto unos muy bonitos y a buen precio.

▶ ¿Sí? ¿Vienes conmigo?

▷ Claro; yo también quiero comprar algo para mí. Mi bolso ya está gastado.

Elena-Carmen

B. Practica con tu compañero/a.

María		
Paco	dice	que...
Elena	dijo	
El señor Ramírez		

2 En parejas. **Escucha.**

A. **¿En qué medio de comunicación se están emitiendo estas noticias?**

El estado de las carreteras hoy día 23 de enero. A causa de la nieve están cortadas casi todas las carreteras de la zona Norte. La autopista Burgos-Bilbao está también cortada a su paso por Miranda de Ebro. En la región de la Meseta debe circularse con mucha precaución debido a la formación de hielo, especialmente por la mañana. Se recomienda llamar el teléfono (91)4954239 antes de emprender un viaje. Las carreteras de la mitad Sur de la Península no presentan problemas especiales. Ha escuchado usted el servicio de carreteras del 094.

En estos momentos llega a la meta el primer corredor. Es Ojeda, del equipo PEGASO. ¡Es increíble...! Llega solo y su velocidad no disminuye. ¡Increíble, señores, increíble! Ojeda pasa la meta final con cinco minutos de ventaja sobre el pelotón. ¡Atención, atención! Nos comunica nuestro compañero que hay otro corredor escapado... Es Joubin, del equipo francés. Pero Ojeda tiene la Vuelta asegurada. Su ventaja de hoy hace que la Vuelta sea ya prácticamente suya.

Buenas tardes. *Noticias tercera edición* comienza hoy con algo agradable: España acaba de conquistar la Copa europea de baloncesto. El equipo español, a las órdenes del entrenador, Goyanes, ha vencido a Italia por 85 puntos contra 76. Con esta victoria España se proclama campeona europea por tercera vez en la historia del baloncesto español. Nos alegramos del éxito del equipo nacional y felicitamos sinceramente a los jugadores y a su entrenador por el éxito obtenido. Ahora pasamos al resto de las noticias del día.

B. **Lee los textos anteriores y practica según el modelo.**

Dice		las carreteras	están estaban...
Dijo	que	Ojeda	ganará ganaría	la Vuelta
Ha dicho		España	ha ganado había ganado	la copa europea...

3 A. **Recuerda tres situaciones: ¿Dónde sucedieron? ¿Qué dijo la gente?**

	¿Dónde?	¿Qué dijo?
1		
2		
3		

B. **Ahora cuéntaselas a tu compañer**o/a.

4 Fuera del aula. **Cuenta lo anterior por carta.**

II. En mi opinión...

Lee. **1**

Eran las ocho de la tarde del 27 de abril de 1986. Los técnicos suecos empiezan a notar actividad en los aparatos que miden la radiactividad. El lunes 28, un obrero de una central nuclear pasa un control rutinario: su radiactividad es seis veces superior a la normal. Suecia, Noruega y Dinamarca detectan más y más señales radiactivas. Europa occidental empieza a preocuparse. Las autoridades rusas no dicen nada. Pero la realidad de lo ocurrido acaba por imponerse: el lunes 28, la agencia TASS anuncia que ha habido un incidente en un centro atómico. No se dice más. Luego se sabe que el accidente ha ocurrido en la central atómica de Chernobyl. Pero la gravedad de lo ocurrido sólo se conoce días después, cuando la radiactividad ya ha afectado a casi toda Europa.

Con la firma del tratado de adhesión, España es ya miembro de la Comunidad Económica Europea. A la ceremonia oficial acudieron los Jefes de Estado o de Gobierno de todos los países miembros. En su discurso, el Presidente del Gobierno español ha declarado que esta fecha será recordada por los españoles como la *vuelta a la casa a la que siempre hemos pertenecido*. Todo era alegría, todo eran felicitaciones. Los problemas aparecerán en los próximos meses, cuando todos se sienten a la mesa de negociaciones para poner en práctica los artículos del tratado firmado hoy.

Ayer fue lanzado el primer satélite artificial europeo. Se inicia así un camino ardientemente deseado por Europa. Especialmente por Francia y Alemania. Con este lanzamiento, los Estados Unidos ya no serán los únicos en poseer la capacidad e infraestructura para lanzar satélites al espacio. Se rompe así en Occidente el monopolio de la industria espacial. Se cree que Rusia seguirá lanzando sus propios satélites, según sus necesidades.

A. Comprueba estas afirmaciones, según los textos anteriores.

2

	V	F
1. La firma del tratado España-Mercado Común Europeo se realizó en Madrid.		
2. La agencia TASS fue la primera en anunciar el accidente de Chernobyl.		
3. La radiactividad afectó sólo a los países del Norte de Europa.		
4. Estados Unidos es el único país que puede lanzar satélites al espacio.		
5. A la firma del tratado acudieron los Jefes de Gobierno.		
6. El lanzamiento del primer satélite europeo fue un fracaso.		

B. Completa, según los textos anteriores.

Accidente nuclear:
- Lugar: _____
- País: _____
- Zona afectada: _____
- Radiactividad: _____

Firma del tratado España-Mercado Común Europeo:
- Asistentes: _____
- Discursos: _____
- Estado de ánimo de los españoles: _____

Primer satélite europeo:
- Países que participan: _____
- Competencia: _____
- Colaboración de otros países: _____

3 ¿Qué opinas de las noticias anteriores? Practica con tu compañero.

A.

Pienso Creo Opino Considero	que	el accidente el tratado el primer satélite europeo

B. **En mi opinión** el accidente...

4 ¿Qué opinarían ell**os/as**?

● Tu amigo/a
● Tu profesor/ra
● Tu familia

En mi opinión...
En su opinión...

5 Razona tus opiniones sobre estos hechos.

● **El hecho prueba que** la energía nuclear...
● **En consecuencia** Francia ya es...

Por tal motivo
En consecuencia
Por tanto
Por el contrario
El hecho prueba que
Por consiguiente

6 A. Busca la opinión de tu grupo. Pregunta a tus compañeros y anota sus opiniones utilizando los siguientes signos.

Opinión: Y : Sí
X : No
= : Le da igual

Temas	Nombres			
	Carlos	Pedro		
● Legalización del aborto				
● Utilización de armas atómicas				
● Pena de muerte				
● Bloques militares				

B. **Compara la opinión de tu grupo con la de otro(s).**

III. ¡Se anuncia algo interesante!

Escucha las noticias de radio Antena-1 y completa la información que falta. **1**

	Hechos	Comentarios
Se dice que		
Se comunica a		
...se celebra		
...se realizará		

¿Qué opinión te merecen las siguientes afirmaciones? **2**

Se dice que la energía nuclear es peligrosa.

Se dio la noticia de que una nave espacial había llegado a Marte.

Se comenta que la reina de Inglaterra visitará España y Gibraltar.

Se anuncia la subida de los precios del petróleo.

Se comunica que el Gobierno se reunió en sesión urgente.

Se cree que en el año 2000 se vivirá en el espacio.

Completa esta noticia con los elementos de la derecha. **3**

Víctor del Busto, concejal independiente del Partido Comunista en Gijón _____ denegada por *utópica* su petición _____ Ayuntamiento. Del Busto pidió que la _____ de la ONU se trasladase de Nueva York a España y específicamente a Gijón _____ es conveniente que se instale _____ una zona de _____ bueno, bien comunicada y cerca _____ lugares turísticos.

ha visto • al • sede • clima • de • en • porque

Escucha y señala las palabras con los sonidos [ks] **4**

prometer • examen • zapatos • escribir • excelente • estupendo • explicar • ayer • máximo • aproximar • taxi • voz

Juego: **Alguien debe desaparecer. Puedes ser tú. Pregunta a tu profesor.** **5**

Consulta al profesor o estudia por ti mismo. Pág. 179

UNIDAD 1

A. Presente de indicativo de

	Ser	Estar	Llamar(se)
(yo)	Soy	Estoy	Me llamo
(tú)	Eres	Estás	Te llamas
(él/ella)	Es	Está	Se llama
(nosotros/-as)	Somos	Estamos	
(vosotros/-as)	Sois	Estáis	
(ellos/ellas)	Son	Están	

B. Concordancia. En español los **masculinos** acaban muy a menudo en **-o** y los femeninos en **-a**:

Este amig-**o**. Encantad-**o**
Esta amig-**a**. Encantad-**a**

C. **El plural** se forma añadiendo generalmente una **-s** al singular:

Amigo — Amigo**s**
Amiga — Amiga**s**

D. El **artículo** se antepone al sustantivo precisando el género:

El / Un:	masculino singular:	El/Un amigo
La / Una:	femenino singular:	La/Una amiga
Los / Unos:	masculino plural:	Los/Unos amigos
Las / Unas:	femenino plurarl:	Las/Unas amigas

Precedidos de las preposiciones **a** o **de,** el masculino singular **el** se contrae en:
Al o **del: Al** amigo. **Del** amigo.

E. **La posesión** se expresa con formas que se refieren a la primera, segunda o tercera persona del singular o plural:

● Si preceden al sustantivo, estas formas son:

(yo)	**Mi**	Mi amigo
(tú)	**Tu**	Tu amigo
(el/ella)	**Su**	Su amigo

● Si van detrás del sustantivo, las formas son:

(yo)	**Mío**	Un amigo mío
(tú)	**Tuyo**	Un amigo tuyo
(el/ella)	**Suyo**	Un amigo suyo

En este caso, las formas femeninas se forman cambiando la **-o** por la **-a** final: **mía, tuya, suya.** Y los plurales añadiendo una **-s: míos, mías,** etc.

F.   Números:

0:   cero
1:   uno
2:   dos
3:   tres
4:   cuatro
5:   cinco

UNIDAD 2

A.   Presente de indicativo de

	Trabajar	**Vivir**	**Querer**
(yo)	Trabajo	Vivo	Quiero
(tú)	Trabajas	Vives	Quieres
(él)	Trabaja	Vive	Quiere
(nosotros)	Trabajamos	Vivimos	Queremos
(vosotros)	Trabajáis	Vivís	Queréis
(ellos)	Trabajan	Viven	Quieren

B.   La **negación** se forma en español anteponiendo la partícula **no** al verbo:

Trabajo en casa — **No** trabajo en casa.

C.   Formas de posesión antepuestas al sustantivo, relativas a las tres personas del plural:

Nuestro/-a: Nuestro profesor.
Vuestro/-a: Vuestro profesor.
Su: Su profesor.

D.   Obsérvese:

¿Eres médico?   —Sí, lo soy / No, no lo soy.

E.   Concordancia. El femenino de las palabras acabadas en consonante se forma generalmente añadiendo una **a** al masculino:

Profesor — Profesora
Francés — Francesa

F.   Números:

6: seis	**7:** siete	**8:** ocho	**9:** nueve	**10:** diez
11: once	**12:** doce	**13:** trece	**14:** catorce	**15:** quince
16: dieciséis	**17:** diecisiete	**18:** dieciocho	**19:** diecinueve	**20:** veinte

A. Concordancia. El adjetivo concuerda con el sustantivo, al que califica o determina en género y número. El femenino y plural de los adjetivos sigue las mismas reglas generales de los sustantivos:

Bueno — Buena   Buenos — Buenas

Francés — Francesa   Franceses — Francesas

B. Las formas **este** y **esta** tienen una tercera forma utilizada como neutra: **esto,** para referirse a todo lo que no es persona.

Para expresar cercanía o lejanía respecto a quien habla, existen las siguientes formas:

Este, esta, esto: cercanía respecto al hablante: *Este libro.*

Aquel, aquella, aquello: lejanía respecto al hablante: *Aquel libro.*

Este, esta, aquel, aquella pueden funcionar como adjetivos.

Como adverbios, existen dos formas semejantes: **aquí** (cercanía) y **allí** (lejanía).

C. Existe una **forma impersonal** del verbo «haber», utilizada con frecuencia e invariable para el singular o plural:

Hay (+ complementos): **Hay** un edificio/una calle...

Hay libros...

D. Concordancia. Las palabras acabadas en **-e** no varían en el masculino o femenino:

Casa / Edificio grand**-e.**

E. Números:

21: veintiuno	**22:** veintidós	**23:** veintitrés	**24:** veinticuatro
25: veinticinco	**26:** veintiséis	**27:** veintisiete	**28:** veintiocho
29: veintinueve	**30:** treinta	**40:** cuarenta	**50:** cincuenta
60: sesenta	**70:** setenta	**80:** ochenta	**90:** noventa
100: cien	**101:** ciento uno		

A. Presente de indicativo de los verbos en **-er**

Vender

(yo)	Vend**o**
(tú)	Vend**es**
(él)	Vend**e**
(nosotros)	Vend**emos**
(vosotros)	Vend**éis**
(ellos)	Vend**en**

Irregularidades:

Algunos verbos cambian la vocal radical en algunos tiempos y personas. Uno de estos cambios es:

E → IE

Querer	Tener
Quiero	Tengo
Quieres	Tienes
Quiere	Tiene
Queremos	Tenemos
Queréis	Tenéis
Quieren	Tienen

B. Concordancia. (Ver Unidades 1, 2 y 3).

C. Formas para expresar *posesión*. (Véase Unidad 1).

CUADRO GENERAL:

SINGULAR		*PLURAL*	
mi	mío/-a	mis	míos/mías
tu	tuyo/-a	tus	tuyos/tuyas
su	suyo/-a	sus	suyos/suyas
nuestro/-a		nuestros/nuestras	
vuestro/-a		vuestros/vuestras	
su		suyos/suyas	

D. Obsérvese que *verde, gris, azul, marrón* no cambian de forma en el femenino. Para formar el plural siguen las reglas generales.

A. Presente de indicativo de

	Saber	**Sentir**
(yo)	Sé	Siento
(tú)	Sabes	Sientes
(él)	Sabe	Siente
(nosotros)	Sabemos	Sentimos
(vosotros)	Sabéis	Sentís
(ellos)	Saben	Sienten

B. Las instrucciones para orientar o indicar localización en el espacio utilizan las formas de imperativo (2.ª persona) o subjuntivo:

	Coger	**Girar**	**Vivir**
(tú)	Coge	Gira	Vive
(él)	Coja	Gire	Viva
(nosotros)	Cojamos	Giremos	Vivamos
(vosotros)	Coged	Girad	Vivid
(ellos)	Cojan	Giren	Vivan

UNIDAD 6

A. La hora:

Es la una.   Es la una y cuarto.
Son las dos/tres, cuatro...   Son las dos **menos** cuarto/veinte...

B. Fechas:

Estamos a quince de julio.
Es el quince de julio.

C. Día, mes:

Es el quince de agosto.
Es martes.

D. Presente de indicativo de

Salir
Salgo
Sales
Sale, etc.

E. Algunos verbos cambian la vocal radical del presente de indicativo de **-o** en **-ue**:

Acostar(se)
Me acuesto
Te acuestas
Se acuesta
Nos acostamos
Os acostáis
Se acuestan

F. **Podría** es la forma de 1.ª y 3.ª persona singular del condicional del verbo **poder**.

A. Los verbos **reflexivos o pronominales** precisan de formas especiales entre el sujeto y la forma verbal, según cada persona:

Presente de indicativo de **levantarse:**

Me	levanto	**Me** gusta		**A mí me** gusta	
Te	levantas	**Te** gusta		**A ti te** gusta	
Se	levanta	**Le** gusta		**A él/ella/usted le** gusta	
Nos	levantamos	**Nos** gusta		**A nosotros/-as nos** gusta	
Os	levantáis	**Os** gusta		**A vosotros/-as os** gusta	
Se	levantan	**Les** gusta		**A ellos/ellas les** gusta	

Para reforzar o enfatizar el pronombre o persona se usa la forma reduplicada *a mí me gusta*, etc.

B. Formas y flexiones del **condicional** en los verbos:

	-ía	Compraría
	-ías	Comprarías
Comprar	-ía	Compraría
Comer	-íamos	Compraríamos
Gustar	-íais	Compraríais
	-ían	Comprarían

C. **Lo, la, los, las** pueden referirse a personas o cosas mencionadas anteriormente:

Esto no me gusta. Lo odio.
María es muy guapa. La quiero mucho.

Para expresar el tiempo se utilizan casi siempre verbos llamados defectivos. Estos verbos se conjugan sólo en tercera persona singular y nunca llevan sujeto:

Llueve, nieva, hace frío (calor...), hay niebla.

A. Los **pronombres personales** pueden ir delante o detrás del verbo. Si van detrás, van unidos al verbo:

Le quiero.
Quiero ver**le**.

Estas formas son:

Le (masculino, personas).
La (femenino, personas o cosas).
Lo (masculino, cosas o lo que se toma como un conjunto).
Los (masculino, personas o cosas).
Las (femenino, personas o cosas).

Obsérvese que las formas pronominales de objeto directo NUNCA se posponen al verbo en frases negativas:

Tóma**lo.**   **Pero:**   No **lo** tomes.

B.   Para preguntar por la materia de que algo está hecho:

¿De qué es esta tela?– **Es de** lana
¿De qué está hecha esta tela?–(Está hecha) **De** lana.

C.   Si se pregunta por el precio, cantidad:

¿Cuánto cuesta/es...?

D.   Para preguntar por algo tratando de diferenciar las cosas, o una entre varias, se usa **¿cuál...?**:

¿Cuál (de las dos) **prefieres?**

E.   Las **formas del condicional** de algunos verbos experimentan cambio en la raíz (pero nunca en la flexión o terminación):

Poder	**Podría**
Querer	**Querría**
Hacer	**Haría**
Haber	**Habría**
Saber	**Sabría**

UNIDAD 10

A.   Estructuras para preguntar por el precio:

¿Cuánto cuesta/vale?
¿A cómo está la fruta?

B.   Formas para comparar:

Más ... que
Menos ... que
Tan(to) ... como
Igual ... que

El marco vale más que la peseta.
La peseta vale menos que el marco.
La peseta vale tanto como el escudo.
La carne es igual que el pescado.

C.   Presente de indicativo de

Traer: Traigo, traes, trae, etc.
Venir: Vengo, vienes, viene, venimos, venís, vienen.
Oír: Oigo, oyes, oye, oímos oís, oyen. (Imperativo: oiga).

A. Formas del futuro en los verbos:

Comprar **Deber** **Vivir**	-é	Compraré
	-ás	Comprarás
	-á	Comprará
	-emos	Compraremos
	-éis	Compraréis
	-án	Comprarán

Las formas del futuro son siempre iguales para todos los verbos. Pero algunos sufren cambios en la raíz:

Querer   quer-**ré**, quer-**rás**, etc.
Hacer   har-**é**, har-**ás**, etc.
Venir   ven**dr**-é, ven**dr**-ás, etc.
Poder   po**dr**-é, po**dr**-ás, etc.
Saber   sa**br**-é, sa**br**-ás, etc.

B. Para referirse a algo poseído, pero sin nombrar el objeto, cosa, etc., en cuestión, se utilizan las formas de posesión *pospuestas* precedidas del artículo correspondiente. (Ver **Unidades 1 y 2**):

La mía	El mío	Las mías	Los míos
La tuya	El tuyo	Las tuyas	Los tuyos
La suya	El suyo	Las suyas	Los suyos
La nuestra	El nuestro	Las nuestras	Los nuestros
La vuestra	El vuestro	Las vuestras	Los vuestros
La suya	El suyo	Las suyas	Los suyos

Tus naranjas son buenas. **Las rnías** también son buenas.

La idea de **obligación** se expresa con las siguientes formas:

Tener que	+ infinitivo:	Tengo que ir de compras.
Deber	+ infinitivo:	Debo ir a clase.
Necesitar	+ infinitivo:	Necesito verle hoy.
Hay que	+ infinitivo:	Hay que llamarle por teléfono.

Tener que se refiere a una obligación impuesta por uno mismo debido a las circunstancias externas. *Deber* se refiere más bien a una obligación que alguien se impone (obligación moral). *Hay que* implica una obligación objetiva, fuera de la voluntad o conciencia individual. *Necesitar* equivale a la frase *tener necesidad*, de donde deriva la obligación de hacer algo.

A. La comparación de superlativo se forma:
- Añadiendo la terminación **-ísimo/-a** a la raíz del adjetivo:
  Bueno — buen-**ísimo**
- Anteponiendo **muy** al adjetivo:
  Muy bueno

La comparación admirativa se puede formar con la partícula **qué** y signos de admiración:

¡Qué alto (es este edificio)!
¡Qué bonita es la ciudad! / **¡Qué** ciudad tan bonita!

Qué seguido de **tan** enfatiza la comparación y admiración:

¡Qué casa **tan** bonita!

B. Las frases negativas en las que intervienen **nada, nunca, jamás, ningún**:
Si estas formas siguen al verbo, la oración conserva el **no** antes de la forma verbal:

No dice nada. **No** habla nunca.

Si estas formas preceden al verbo, en tal caso se elimina la partícula **no**:

Nunca viene. **Nada** es perfecto.

C. Los participios pasados de los verbos se forman añadiendo las terminaciones **-ado** (verbos en **-ar**) o **-ido** (verbos en **-er**, **-ir**) a la raíz. Pero algunos son irregulares:

Comprar:	comprado		**Romper:**	roto
Venir:	venido	Pero:	**Hacer:**	hecho

D. El artículo puede tener valor pronominal seguido de **que**:

Lo, el, la... que.

La gente no demuestra **lo que** siente.

A. Pronombres **reflexivos**. Pueden preceder o seguir al verbo; en este último caso forman una unidad con él:

Me	peino
Te	peinas
Se	peina
Nos	peinamos
Os	peináis
Se	peinan

Pero:

Quiero   peinar**me**, peinar**te**, peinar**se**, peinar**nos**, peinar**os**, peinar**se**.
Nótese que las terceras personas, singular y plural, tienen la misma forma **(se)**.

B. El gerundio se forma añadiendo a la raíz del verbo la terminación **-endo** (2.ª y 3.ª conjugación) y **-ando** (1.ª conjugación):

Am-**ando**, vivi-**endo**, vendi-**endo**

Los verbos en **-ir** que cambian la raíz en el presente, también la cambian en el gerundio:

Poder:	puedo	pudiendo
Sentir:	siento	sintiendo
Decir:	digo	diciendo

Otros verbos cambian la «i» de la terminación en «y» si precede otra vocal:

Oír:	oyendo
Creer:	creyendo
	etc.

C. La estructura **estar** + gerundio expresa que una acción se está realizando en ese momento o en el período de tiempo considerado:

Estoy leyendo.

UNIDAD 15

A. Formas de **imperativo**. (Véase Unidad 5).

B. Los pronombres **reflexivos** se utilizan con frecuencia también en las formas de imperativo:

Péina**me**, péina**te**, péina**la/-le/-los/-las**, péina**nos**.

Debe notarse que no se admiten los pronombres **-se, -os**, de 2.ª persona.

UNIDAD 16

Pretérito indefinido

Trabajar	**Vivir**	**Nacer**
trabaj-**é**	viv-**í**	nac-**í**
trabaj-**aste**	viv-**iste**	nac-**iste**
trabaj-**ó**	viv-**ió**	nac-**ió**
trabaj-**amos**	viv-**imos**	nac-**imos**
trabaj-**asteis**	viv-**isteis**	nac-**isteis**
trabaj-**aron**	viv-**ieron**	nac-**ieron**

Pretérito imperfecto de indicativo

trabaj-**aba**	viv-**ía**	nac-**ía**
trabaj-**abas**	viv-**ías**	nac-**ías**
trabaj-**aba**	viv-**ía**	nac-**ía**
trabaj-**ábamos**	viv-**íamos**	nac-**íamos**
trabaj-**abais**	viv-**íais**	nac-**íais**
trabaj-**aban**	viv-**ían**	nac-**ían**

Algunos verbos tienen formas irregulares que afectan a la raíz en el pretérito indefinido:

Estar: Estuve, estuviste, estuvo, estuvimos, estuvisteis, estuvieron.
Tener: Tuve, tuviste, tuvo, tuvimos, tuvisteis, tuvieron.
Ir: Fui, fuiste, fue, fuimos, fuisteis, fueron.
Ser: Fui, fuiste, fue, fuimos, fuisteis, fueron.
Morir: Morí, moriste, murió, morimos, moristeis, murieron.
Poder: Pude, pudiste, pudo, pudimos, pudisteis, pudieron.
Venir: Vine, viniste, vino, vinimos, vinisteis, vinieron.

En general, el **imperfecto** expresa una acción ocurrida en el pasado, mientras el **indefinido**, además de expresar acciones pasadas, las considera como ya acabadas, limitadas en ese pasado o de alguna manera distanciadas o separadas del presente.

UNIDAD 17

A.   Estructuras para prohibir:

PROHIBIDO FUMAR.
ESTÁ PROHIBIDO FUMAR.
NO FUMAR.
SE RUEGA NO FUMAR.

B.   **Ir a** + infinitivo: expresa la inminencia de una acción:

Voy a ir al campo (= He decidido ir pronto al campo).

C.   **Debe** + infinitivo puede expresar:

● Obligación: *Debe venir* (= Tiene obligación de venir).

● Probabilidad: *Debe ser el cartero* (= Es probable que sea el cartero —dadas las características que acompañan a la acción—).

D.   **Hay que** + infinitivo expresa obligación, en general derivada de algo que la impone desde fuera:

Hay que ver el Museo Nacional.

UNIDAD 18

Comparación para expresar igualdad. (Ver Unidad 10):

Igual ... que: *La camiseta es **igual que** el vestido.*

(Ver Unidades 7 y 9 para otras cuestiones y cuadros gramaticales).

UNIDAD 19

A.   El artículo con valor pronominal. (Ver Unidad 13):

El artículo seguido de **que, de** o un **adjetivo** equivale a un pronombre, refiriéndose a algo mencionado anteriormente:

El / la / los / las mejor(es) es/son...
El / la / los / las que (hablan de su mujer).
El / la / los / las de los pantalones negros.

B. El español enfatiza el valor del pronombre repitiéndolo a veces antes y después del verbo o incluso dos veces después del verbo:

A mí tráigame una camisa	o	**Tráigame a mí...**
Tráigale **a él** una manzana	o	**A él tráigale...**
Tráigales **a ellos/ellas...**	o	**A ellos/ellas tráigales...**
Tráiganos **a nosotros...**	o	**A nosotros tráiganos...**

C. Revisión de las flexiones del imperativo y condicional. (Ver Unidades 5 y 7).

D. En preguntas, **qué** inicia la oración sin implicar especificación sobre aquello que se pregunta. **Cuál,** por el contrario, implica distinguir entre dos o más:

¿Qué quieres?
¿Cuál quieres, la blanca o la negra?

UNIDAD 20

A. Las formas del subjuntivo **presente** se basan en la raíz del presente de indicativo:

Formar	**Deber**	**Escribir**	**Ser**
Form-**e**	Deb-**a**	Escrib-**a**	se-**a**
Form-**es**	Deb-**as**	Escrib-**as**	se-**as**
Form-**e**	Deb-**a**	Escrib-**a**	se-**a**
Form-**emos**	Deb-**amos**	Escrib-**amos**	se-**amos**
Form-**éis**	Deb-**áis**	Escrib-**áis**	se-**áis**
Form-**en**	Deb-**an**	Escrib-**an**	se-**an**

B. Los verbos utilizados en órdenes o instrucciones negativas en segunda persona del singular o plural utilizan las formas del subjuntivo presente precedidas de **no:**

No vengas. **No** hablen. **No** venga usted.

C. Algunos verbos presentan irregularidades en el subjuntivo, de la misma manera que las tienen en el presente de indicativo:

Tener: Tenga, tengas, tenga, tengamos, tengáis, tengan.
Poder: Pueda, puedas, pueda, podamos, podáis, puedan.
Hacer: Haga, hagas, haga, hagamos, hagáis, hagan.
Haber: Haya, hayas, haya, hayamos, hayáis, hayan.

D. Las oraciones completivas con **que** van seguidas de subjuntivo presente:

Te ruego que vengas.

UNIDAD 21

A. Las oraciones negativas formuladas con partículas como **nada, nunca, jamás,** prescinden a veces del **no.** (Ver Unidad 13).

B. Las oraciones completivas con **que** van seguidas del indicativo si expresan opinión, creencia o seguridad sobre lo que se dice y son afirmativas:

Creo que vendrá.

Estoy seguro de que lo dirá.

En otros contextos, las correspondencias de tiempos verbales pueden ser otras.

C. Recuerde: El plural de las palabras acabadas en **-z** se forma cambiando la **z** en **c** y añadiendo **-es**:

Feliz - Felices

Este cambio no se daría si fuese un femenino en **-a**:

Rapaz, rapaza, rapazas...

UNIDAD 22

Formas del pretérito perfecto: este tiempo verbal se construye con el presente del verbo HABER y el participio pasado del verbo en cuestión:

He	
Has	
Ha	BEBIDO
Hemos	VENIDO
Habéis	COMPRADO
Han	

(Véase también la **Unidad 16**.)

UNIDAD 23

Oraciones complejas con conectores que expresan razón, consecuencia o causa:

Lo decía gritando. **Por eso** me marché.
Lo dijo **porque** lo sentía.
No quería verle; **así que** decidió irse.
etc.

Nótese que estos conectores pueden unir frases principales con subordinadas o incluso párrafos o ideas anteriores. Los tiempos verbales usados dependerán de varios factores. Pero siempre está excluido el subjuntivo.

Números ordinales o de orden:

primero	segundo	tercero	cuarto	quinto
sexto	séptimo	octavo	noveno	décimo
undécimo	duodécimo...			
vigésimo (20)		vigésimo primero (21)		
trigésimo (30)		trigésimo primero (31)		

En números más altos es raro utilizar los ordinales.

A. Las formas de imperativo en instrucciones de uso. (Ver Unidad 5). Nótese:

Poner: Pon (tú).
Soltar: Suelta (tú).

B. Las oraciones condicionales introducidas con **si** suelen ir seguidas de indicativo o imperativo:

*Si llama fuera de la provincia, **marque** primero...*
*Si llamas fuera de la provincia, **marca** primero...*
*Si llama desde Madrid, **llegará** pronto.*

A. Estilo indirecto:

Las frases introducidas con **dice, dijo, ha dicho** pueden ir seguidas del presente de indicativo, futuro, imperfecto, condicional, perfecto o pluscuamperfecto. (Ver cuadro de la Unidad 26, I.2).

B. Las oraciones introducidas con **pienso/creo/opino... que** van seguidas de formas del indicativo si lo que se dice se da por seguro y es frase afirmativa:

Pienso que vendrá a las diez.
Creo que es muy guapo.

En oraciones negativas se usa el subjuntivo:

No creo que sea muy guapo.

C. La impersonalidad se expresa en español frecuentemente anteponiendo la partícula **se** al verbo en tercera persona del singular:

Se dice, **se** comenta...

Apéndice II ● Grabaciones

Textos grabados que no aparecen en la Unidad correspondiente, total o parcialmente.

Unidad 1

II.9
A. Te presento a la señorita Carmen. Mi secretaria.
B. Mucho gusto.
C. Encantado.

Unidad 4

I.5 Es una habitación muy bonita. Tiene una puerta, corti-nas blancas, una alfombra con una mesa en el centro, una mesa para comer, una ventana grande, dos cuadros, una lámpara en el rincón y seis sillas.

III.5 Ana
Me gusta el barrio donde vivo. Es muy tranquilo. Sola-mente alguna vez pasa una ambulancia: el hospital está cerca. Mi casa tiene un jardín con hierba y cerca hay un parque. También hay un supermercado, una peluquería y dos colegios.
Para divertirnos vamos al centro: allí hay muchos cines, teatro y dos discotecas grandes. A mí me gusta mucho el teatro; pero está un poco lejos y voy poco.
A pocos metros de mi casa hay una comisaría de policía; mi barrio es tranquilo, y también seguro.

Juan
Vivo en una calle del centro de la ciudad. Esto es muy bueno: al lado de mi casa hay muchas tiendas de ropa, zapatos, farmacias, etc. Pero en la calle hay muchos coches. Hay mucho ruido y es difícil leer o estudiar con tranquilidad. Tampoco hay parques cerca: al parque voy en autobús; está un poco lejos para ir paseando.
La escuela de mis hijos está muy cerca. Y también la Universidad.
A pocos metros está el campo de deportes y enfrente de mi casa hay dos cabinas de teléfono. En la calle de al lado, cerca de una plaza pequeña, tenemos un gran supermercado: en él podemos comprarlo todo para comer. Está muy limpio y es bastante barato. A mí no me gusta mucho el teatro ni el cine; pero muy cerca hay dos cines y al teatro voy en cinco minutos.

Unidad 5

I.4 Cojo ● coger ● coja ● coges ● cogen ● cojan ● coge ● siga ● gire ● seguir ● giran ● oiga ● gracias ● Mijas ● dibujar

Unidad 6

I.3 Iberia, vuelo 748, con destino Nueva York, anuncia un retraso de media hora aproximadamente.
TWA anuncia el embarque de su vuelo 538, con destino a Miami, que tiene su salida a las 9,45 horas, por la puerta número 2.

Último aviso para los pasajeros del vuelo de Alitalia 321, con destino Roma; hora de salida: 10,55; puerta de embarque número 3.
Atención a los pasajeros del vuelo número 479, de Bri-tish Airways, con destino a Londres, que tiene su salida a las 13,00 horas. Este vuelo queda cancelado debido a la huelga de controladores aéreos.

III.4 Juan se levanta a las 7,30. Es temprano. A las 8,20 sale de casa. Va a la oficina. Trabaja hasta las 14,00. A las 14,10 come. Entra en la oficina de nuevo a las 16,00. Trabaja hasta las 20,00. A las 20,30 horas llega a casa. Cena, ve la televisión. Se acuesta tarde: a las 11,30.

Unidad 7

I.2
▶ Me llamo **Jaime López**; dos años más y tengo 30. Vivo en La Coruña y trabajo en una oficina con mi mujer, los dos somos administrativos. Todos los días hago deporte con mis hijos, me gusta mucho. No leo nunca, solamente los periódicos; pero me encanta ir a la discoteca con mis amigos y en vacaciones viajo; nunca me quedo en La Coruña.

▶ Yo soy **Francisco Díaz**, trabajo en el Hospital Militar de Sevilla, pero soy de Murcia. Tengo 34 años, juego al fútbol desde los 25 años. Me gusta mucho mi trabajo y leo muchas revistas médicas. Sin embargo, hay algo que no me gusta nada: mi mujer se queja porque no la acompaño a ir de compras.

▶ Yo tengo 18 años y estudio en la Universidad. Como a cualquier chica joven, me gustan las cosas jóvenes y modernas, la música rock y pop; odio la música clá-sica, porque es antigua. Mi pasión es la moto. Tengo 6 hermanos y mis padres están separados. Oye, mi nombre es **M.ª Luisa Arenas**, pero a mí me gusta el nombre de Dona. Y tú, ¿cómo te llamas?

▶ Yo me llamo **Guadalupe Ramírez**; vivo en España, pero soy mejicana; mi edad es de 40 años y estoy casada, con 5 hijos. Los trabajos de la casa no me gustan nada. Odio planchar y cocinar. Todas las tar-des salgo con mis amigas: una veces vamos al cine, otras nos quedamos en casa a jugar a las cartas; esta vida sí que me gusta.

III.4

En los últimos momentos del partido, el Barcelona se ve cansado tras su duro juego contra el Club Real Madrid, actualmente campeón de la Liga Nacional de Baloncesto. Epi lanza el balón de nuevo a la canasta; y dos puntos más para el Barcelona. El Barcelona necesita tres canastas más para alcanzar al Madrid, ahora con 86 puntos. Otra canasta del Madrid, esta vez por Corbalán. El árbitro marca personal contra Martín; es la cuarta. Una más y debe retirarse. Señoras y señores, estamos en los últimos segundos del partido. El árbitro mira el reloj... Y fin. Gana el Madrid por 88 puntos contra 82.

En estos momentos da comienzo la salida real. Poveda levanta el banderín y los ciclistas salen todos con fuerza y buen ritmo. En el sprint especial de Córdoba va primero Alfonso Gutiérrez. Pasada Córdoba, hay varios intentos de escapada. El pelotón se agrupa, sin embargo, y nadie puede escapar. A la primera meta volante se llega a la hora prevista. La gana el líder de la clasificación, Berlius. A partir de ahora la carretera no es muy buena. Se producen varios pinchazos. No parece una carrera ciclista normal.

Ya están en la pista las representantes británicas, francesas y españolas. Se encuentran en la zona de salida. Los anillos están muy cerca. Ahí están las participantes: Maite Amor y Rosario Cuevas, por España; Monique Lacroix, por Francia, y Anne Williams, Margarette Keaton y Jane Dean, por el Reino Unido. Las representantes británicas son, al parecer, muy superiores a las españolas. El juez da el disparo de salida y las participantes corren a toda velocidad. Maite Amor quiere pasar a Anne Williams por la calle número tres; hace un esfuerzo, parece que lo logra... pero no. Anne Williams acelera y pisa la raya en primer lugar.

El partido es muy emocionante. La primera parte empieza con fuerza y muchos peligros para la portería del Murcia. En el minuto 39 marca la Real Sociedad. Cuatro minutos más tarde, el Murcia mete su primer gol. Empate a uno. La segunda parte es una victoria limpia de la Real Sociedad: Sobrado marca el segundo gol de la Real Sociedad a los diez minutos. En estos momentos la pelota está en el campo del Murcia. Sale fuera de banda. Recoge Contreras, pasa a Enrique, Enrique golpea la pelota, ésta golpea al portero, cabecea de nuevo Contreras y ¡¡¡goool!!! ¡Gol de Contreras! Tres tantos contra uno a favor de la Real Sociedad.

Unidad 8

III.5

Hace • vacaciones • diccionario • zona • bicicleta • esquiar • ciclo • dices

Unidad 9

II.2

(En una zapatería)

Vendedor: ¿Desea algo, caballero?
Ramón: Unos zapatos. Los querría negros.

Vendedor: ¿Qué número gasta?
Ramón: El 40.
Vendedor: Aquí tiene varios modelos.
Ramón: ¿Haría el favor de enseñarme aquéllos?... Sí, los de arriba.
Vendedor: Aquí están. Puede usted probárselos.
Ramón: Um... El izquierdo me queda un poco grande. ¿Tienen el 39?
Vendedor: Naturalmente. Un momento... Aquí los tiene.
Ramón: Éstos no me van bien. Me quedan demasiado estrechos. ¿Puedo probarme otro modelo?

III.5

Ésta es Gloria. Lleva una falda de fantasía, color beige claro, con una chaqueta oscura, suelta y ligera.
Ahora entra Mari Luz, con un traje de noche largo y ceñido, con amplio escote por la espalda. Es una fantasía de noche.
Y ésta es Ana. Lleva vestido deportivo, con un gran bolsillo a cada lado, cinturón y botones por delante. Está hecho de tela de algodón fino, en color claro, con suaves dibujos verde claro como fondo.

Unidad 10

I.5

A. ▶ Buenos días.
   ▷ Buenos días, ¿qué desea?
   ▶ Quiero ir a Madrid en Talgo. En primera, mañana, jueves.
   ▷ Un momento. Muy bien. ¿Cuántos billetes?
   ▶ Quiero dos billetes. ¿Cuánto valen?

B. ▶ ¿Cuánto valen estos zapatos?
   ▷ 6.700 ptas.
   ▶ Son muy caros. ¿Y las botas?
   ▷ 5.800 ptas.
   ▶ Son más baratas que los zapatos. Me las compro.

C. ▶ Buenos días. Quiero cambiar 20.000 ptas. en libras.
   ▷ Rellene este impreso, por favor.
   ▶ Las necesito para el día 10.
   ▷ No se preocupe. Pase a recogerlas dentro de 3 días.

D. ▶ La noche ha sido muy interesante y divertida.
   ▷ ¿Todavía te queda dinero?
   ▶ Más de 5.000 ptas. ¿Y a ti?
   ▷ Yo he tenido suerte en el juego. He ganado dos veces. Tengo 25.000 ptas.

II.2

▶ Quisiera cambiar dinero. ¿Puede decirme dónde hay un banco?
▷ A estas horas todos los bancos están cerrados. Sólo están abiertos hasta las dos.
▶ ¿Y no podría cambiar dinero en otro sitio?
▷ Pues sí. En una oficina de cambio. O quizá en el hotel.
▶ Muchas gracias.
▷ De nada.

II.3

(Dentro del banco, en caja)

Empleado: ¿Cuánto dinero quiere ingresar en su cuenta corriente?

Cliente: 54.960 ptas., si es posible.

Empleado: Por supuesto que sí. ¿Cuántos billetes trae usted?

Cliente: Bueno, pues tengo 10 billetes de 5.000, 4 de 1.000 y 3 de 200 ptas.

Empleado: ¿Trae usted monedas?

Cliente: Sí, sí. 3 monedas de 100, 2 de 25 y 2 de 5. ¿Está bien?

Empleado: Sí, es conforme, gracias.

III.3.b

1. ¿Hay un banco cerca de aquí?
2. ¿Puede decirme dónde hay un banco para cambiar dinero?
3. ¿Puede indicarme dónde hay una oficina de cambio?
4. ¿A qué hora abre el banco?
5. ¿Cuánto vale el dólar?
6. ¿Puede usted darme 100 ptas. en moneda suelta?

Unidad 11

I.1

Buenos días, señores y señoras. Otra vez con ustedes, desde Onda Musical, el programa para gente de todas las edades, Chicho Maravillas, señores, su Chicho Maravillas, el que maravilla a las maravillosas amas de casa.

Hoy es viernes y, como todos los viernes, tenemos la lista de los tres ganadores de esta semana.

Onda Musical ofrece un viaje ideal.

Esta semana el viaje será a... Señores qué emoción... Yo también me voy... Yo también. Sí, señores, esta semana el viaje que proporciona Onda Musical es a... ¡¡Brasil!!!

Escriban su canción preferida con su nombre y dirección y el premio puede ser para usted. Así de sencillo, una postal con su dirección, una canción y ¡el viaje de su vida!

Onda Musical está muy cerca de usted y quiere hacerle feliz.

Y ahora... los tres ganadores de la semana. ¿Quiénes serán los ganadores? ¿Será usted, o usted, o quizá usted?

¡Qué emoción, señores!

La primera ganadora es...

Carmen Moreno Jiménez. Vive en la calle Gran Vía, 65, de Marbella, en la Costa del Sol. Repetimos: Carmen Moreno Jiménez. Su dirección es Gran Vía, 65. Marbella (Málaga).

Enhorabuena Carmen.

El segundo ganador es don Manuel Sánchez Cobos. Vive en la calle Sagasta, núm. 30, de Madrid. Sí, el segundo ganador es don Manuel Sánchez Cobos, de Madrid; con domicilio en calle Sagasta, núm. 30. También a usted, don Manuel, le felicitamos.

Y ya nuestra tercera ganadora es la señorita Maite Ruiz Casanova. Vive en las Ramblas, 127, de Barcelona. Señorita Maite Ruiz Casanova.

Por tanto, en nombre de Chicho Maravillas, el presentador que maravilla, y de Onda Musical, nuestras mayores felicitaciones y que se diviertan muchísimo en... Brasil.

(Bombos y platillos)

I.5

Carlos: Abuela, ya sé que mamá se irá de vacaciones porque ha ganado un premio en la radio. ¿A dónde irá?

Carlos: Abuela, mamá nos dejará solos ¿Cuánto tiempo estará fuera de casa?

Abuela: Serán sólo unos pocos días.

Carlos: Y nosotros, ¿nos quedaremos aquí? Yo quiero irme contigo al campo y no ir a la escuela. Si estamos en el campo, ¿cómo iremos a la escuela? Además al campo sólo hemos ido muy pocas veces, ¿será aburrida la vida en el campo?

Abuela: No, la vida en el campo será muy agradable.

Carlos: Abuela, mamá nos comprará muchas cosas en Brasil, ¿verdad? ¿Qué regalos nos traerá, abuela?

I.6

Todavía no lo puedo creer. ¡Soy ganadora del premio Onda! Iré al Brasil, un viaje para mí sola, y una semana de vacaciones. Será una semana inolvidable. Lo mejor para los niños será ir al campo con la abuela. Esa semana no irán a la escuela; para ellos también es una semana de vacaciones. Los dos se divertirán mucho jugando al aire libre. En el campo no se aburrirán. Ya pensaré qué regalos les traeré. A los niños les encantan los regalos. A Carlos le traeré sellos para su colección, y a Cristina, ya veremos, quizá algún vestido típico y otro recuerdo. ¡Qué ganas tengo ya de ir a Brasil!

III.2

Carmen: Estoy muy contenta con este viaje. Ya tengo mis planes. Soy muy blanca de cara. Pasaré todo el día en la playa tomando el sol. Serán unas verdaderas vacaciones. ¡Adiós a mi trabajo! No pensaré en nada ni en nadie, me olvidaré de España, viviré unos días sin preocupaciones. Quizá después de descansar iré a comprar antigüedades y otros objetos para mi colección.

Manuel: En Brasil hay mucho ritmo y muchos sitios para divertirse, así que me aprovecharé ahora que voy sin mi mujer y mi hijo. Bailaré mucho en la discoteca, y por las mañanas me levantaré tarde. Para despejarme, haré deporte y tenis si puedo. Pero no olvidaré a mi mujer ni a mis hijos. También les compraré muchos regalos. Yo también busco la tranquilidad, pero con música y deporte.

Maite: Chicos, si hacéis sólo eso os aburriréis. A mí también me gusta el mar, también tomaré el sol en la playa, pero mi mayor interés es hacer fotos, muchas fotos; me gusta mucho coger la cámara y sacar fotografías de todo. Para eso visitaré muchos lugares típicos, de interés turístico. Además de descansar, haré un viaje cultural. ¡A Brasil no voy todos los días!

182

I.4

Luisa: Hola, Marcos. Te invito a un café.

Marcos: Lo siento, Luisa. Pero tengo muchas cosas que hacer. Un médico siempre está ocupado. Debo ir al hospital y ver muchos enfermos. Los enfermos son personas muy sensibles y necesito ser muy comprensivo y amable con ellos. Y tú, ¿estás libre ahora?

Luisa: En este momento, sí. Pero a las 6,00 tengo que ir a una clase de inglés.

Marcos: ¿Clase de inglés?

Luisa: Claro, quiero ser un ama de casa moderna. Debo levantarme muy temprano para preparar la casa y arreglar a los niños, pero también tengo que preocuparme de mí. Por eso voy a clase de inglés y español. Además voy a un gimnasio porque tengo que estar muy fuerte y ágil. Mi familia necesita una madre y esposa dulce y comprensiva, pero también necesita una madre moderna. ¡Tengo que estar al día!

II.3

▶ ¡Mira! Aquí hay un trabajo muy interesante.
▷ ¿Qué es?,
▶ Es un trabajo de venta de artículos de regalo.
▷ ¿En las oficinas?
▶ En Madrid. Pero tendré que viajar por toda España.
▷ Bueno, a ti te gusta conducir.
▶ ¿Qué te parece si llamamos ahora mismo?
▷ Estupendo, me gusta ese trabajo.

II.1

(En otro lugar de la fiesta de cumpleaños. Se oyen comentarios)

▶ Esta música está bastante pasada de moda, ¿no?
▷ A mí me da igual, pero me desagrada el volumen. Está muy alto.

▶ Fíjate en el vestido de Marta. Es cortísimo.
▷ No vale mucho, pero ella dice que es muy caro.
▶ Pues a mí no me gusta. Prefiero el mío.

▶ ¡Qué bueno está todo! La tarta, sobre todo, está muy buena.
▷ Sí, pero este cava ¡qué malo!

▶ Oye, ¿quién es aquel chico? Es guapísimo, parece muy interesante.
▷ ¡Qué va! Es muy alto y muy rico, pero también es... ¡aburridísimo!

III.3

Es una joven bonita y alegre. ¡Qué pena! Está sola, bastante triste, sentada en un banco del parque. Su vestido es amarillo y verde, y sus zapatos blancos. Un joven la mira. ¿Qué pensará?

I.4

▶ Por favor, ¿podría decirme cómo cuida su imagen?
▷ Siempre quiero dar la imagen de una persona saludable, dinámica, y para ello cuido mucho mi cuerpo, desde la cabeza a los pies. Lavo mi pelo todos los días con un champú muy suave; cuido muy especialmente la cara, el cuello. La piel es muy sensible. Siempre me maquillo, con tonos suaves y naturales. Los ojos, las mejillas y los labios deben combinar con armonía, con naturalidad.
▶ ¿Sólo eso?
▷ Puedo añadir que todos, y en especial las mujeres, debemos dar más importancia a los detalles, como el cuidado de las uñas, los codos y rodillas. También a los pies. Y no debemos olvidar una crema hidratante para todo el cuerpo.
▶ Haciendo esto, ¿podemos pensar que ya somos sanos y bellos?
▷ Sin salud no hay belleza, y todo esto ayuda. Además debemos saber qué comemos y bebemos. Debemos comer sin excesos y equilibradamente, no beber alcohol y, claro, no fumar.
▶ Muchas gracias.

III.4

El gobernador de la provincia de Almería anuncia que se hará un nuevo hospital en esta ciudad. Actualmente la situación es muy mala: hay un hospital muy viejo y demasiado pequeño para la ciudad y pueblos de la provincia.

Aquí los hospitales son muy buenos. En León hay tres grandes y algunos más pequeños. Están muy bien cuidados. Yo estoy encantada de los cuidados recibidos. Al llegar con la ambulancia ya tenía una cama preparada. La enfermera viene cuatro veces al día; el médico, dos veces. La comida, muy buena. Y la limpieza, excelente. ¡Así da gusto estar enferma!

▶ ¿Cómo se encuentra hoy?
▷ No muy bien. Tengo un poco de hambre; pero la comida de aquí no me gusta mucho. Y estoy un poco débil...
▶ ¿No está Ud. contenta en el hospital?
▷ No mucho. Mire, las sábanas no las cambian cada día y la limpieza no es muy buena. El médico viene a diario, pero nunca explica nada. No sé qué tengo, cuándo saldré, qué me harán mañana. Si estás enfermo y no estás a gusto, todo es más difícil...

II.1

▶ Soy periodista. ¿Cómo está Ud.?
▷ Muy bien, gracias. Me alegra hablar con un periodista.
▶ Su nombre es Víctor Pacés, ¿verdad?
▷ Exactamente.
▶ Y nació en 1943.
▷ Así es.

▶ Y ¿cuándo empezó sus estudios?

▷ Entré en la escuela en 1949. Después empecé el Bachillerato en 1954, y pocos años después comencé los estudios en la Universidad. Acabé en 1966. Dos años después me doctoré en Ciencias Físicas. Exactamente en 1968.

▶ Pero luego estuvo Ud. en Universidades extranjeras.

▷ Sí, estuve dos años en Harvard, de 1969 a 1971. Finalmente, trabajé tres años como investigador en la Universidad de Bonn.

▶ Ha sido una vida muy intensa. ¿Qué piensa ahora, 10 años después, en 1986 ?

▷ Que todo ha valido la pena.

Unidad 17

III.2

(En el autobús de Teotihuacan)

Miguel: Prohibido fumar. Veo que aquí tampoco se puede fumar.

Elena: Dice: «No fumar» y «Prohibido hablar con el conductor».

Miguel: Es como en España. Así da gusto viajar. Se entiende todo y puedes hablar con la gente.

III.3

1. México es famoso por sus playas. Ésta es una de las más conocidas.
2. Un tópico mundial sobre México. Niño y niña con trajes típicos.
3. También México tiene historia. Éste es un monumento dejado allí por los españoles.
4. Una ciudad que es casi un mundo: una luminosa noche de México Distrito Federal.

Unidad 18

I.2

Ésta es la región del sol. El sol es el rey. Bajo el sol, abundante vegetación, aire limpio y atmósfera no contaminada. Es un litoral de aguas azules y playas grandes y templadas.

Esto dice el libro. Y es la verdad.

La temperatura media anual es de 18,6 grados. El mar no permite cambios bruscos. En la Costa del Sol se habla de una eterna primavera. La temperatura media del verano es de sólo 24 grados.

¿Desea usted bañarse? La temperatura del agua es ideal, incluso en invierno, con unos 15 grados, frente a los 24 de agosto. Ahora comprenderán ustedes por qué los árabes llegaron a España y se quedaron en Andalucía.

Además de sol, primavera y agua templada, pueden ustedes también comprar. La capital de la **Costa del Sol** es Málaga, una gran ciudad donde encontrarán de todo: grandes almacenes y tiendas elegantes, mercadillo... de todo.

¿Y sabían ustedes que la **Costa del Sol** acaba prácticamente en Gibraltar?

Unidad 19

I.2

Ramón: La cena aún no está lista. ¿Qué tomamos de aperitivo?

Marcos: Tengo un poco de sed. Para mí una cerveza.

Maruja: Para mí un vino...

Ramón: ¿Dulce o seco?

Maruja: Dulce, si es posible.

Ramón: Por supuesto. Yo te acompañaré con un jerez seco.

Julia: Yo vigilo el pollo. Pero ponme también un vino dulce, Ramón.

Ramón: Enseguida estaréis todos servidos. Sentaos. Estáis en vuestra casa.

Unidad 20

III.6

Haga • hora • hacer • hotel • arte • autopista • habitación • avión • hondo • hogar • huir • huerta

Unidad 22

I.2

▶ ¡Manos arriba! ¡Esto es un atraco!
Los ladrones llevaban una pistola cada uno. Eran tres. Entraron a las nueve y cinco. El banco estaba abierto a las nueve y no había nadie dentro. Llevaban la cara tapada y una gabardina larga, de color gris oscuro.

▶ ¡Queremos el dinero, todo el dinero! —dijeron.
Si hacen lo que les decimos no les pasará nada. Eran jóvenes los tres. Su voz era fuerte y seca. Se sentían seguros. Uno se quedó a la puerta, otro entró en el despacho del director y el tercero apuntaba al cajero.

▶ ¡Todos de pie, con las manos en la cabeza!
Los empleados se levantaron, algunos con miedo, y pusieron sus manos sobre la cabeza. El cajero sacó el dinero y lo dejó sobre la mesa, en una bolsa. El joven que le apuntaba lo cogió, hizo una señal al de la puerta, llamó al otro y salieron con rapidez. Sonó la alarma. Llegó la policía unos minutos después. Pero los atracadores estaban ya muy lejos.

Unidad 24

I.3

Esteban leía tranquilamente sentado en el sofá. La novela era muy interesante. Pero de pronto nota que su pie derecho le duele un poco. Sigue leyendo. Después de unos minutos, piensa de nuevo en el pie. Le duele más. Se inquieta, lo toca y se levanta. Quiere andar, pero observa que al poner el pie en el suelo cojea un poco. En una ocasión había leído que todos los dolores se reflejan en la cara. Así que va al espejo y se mira.

Estaba sin peinar, en pijama. **Se** *ve raro y con cara amarillenta.* **Se** *asusta. Llama rápidamente al* **médico.** *Se viste precipitadamente y sale corriendo. El médico le* **mira.** *No encuentra* **nada.** *Al final le quita el zapato para verle el pie. Entonces Esteban se* **siente** *aliviado: ya no le duele nada. Su zapato* **era** *demasiado pequeño. Al levantarse se había puesto el zapato de* **su** *hijo.*

II.2

lo oído	he dormido
todo	lo normal
esto	quien
luego	pueden
comprar	

3. Freír en paellera aceite, ajo, pimiento, rape, almejas, tomate, guisantes y judías verdes.
4. Añadir sal y arroz.
5. (Aparte) cocer piel, cabeza y espina de rape.
6. Añadir este caldo colado a la paellera junto con gambas, cigalas, langostinos y pimiento morrón, decorando al gusto.
7. Cocer a fuego fuerte durante 10 minutos y otros 10 minutos a fuego lento. Dejar reposar 5 minutos y servir.

III.5

Congelar ● funcionar ● verdura ● huevos ● electricidad ● hacer cuentas ● abajo ● arriba

Unidad 25

I.2

Está Ud. ante el mejor coche del año. Antes de entrar, **abra** *la puerta. Siéntese cómodamente. Luego* **quite** *el freno de mano; la palanca de la marcha en punto muerto.* **Ponga** *la llave de contacto. Tranquilamente. Ya funciona el motor. Ahora* **pise** *un poco el acelerador.* **Apriete** *el embrague, un poco más, hasta el fondo.* **Meta** *la primera marcha. Muy bien.* **Suelte** *poco a poco el embrague.* **Acelere** *con suavidad. ¡Ya está! Ya sabe Ud. conducir nuestro coche del año.*

I.6

Receta n.º 2: Paella de mariscos.
1. Limpiar y cortar mariscos: rape, calamares, almejas, gambas, langostinos y cigalas.
2. Trocear ajo, pimiento, tomate, guisantes, judías verdes y pimiento morrón.

Unidad 26

III.1

Se dice que la clase del profesor de Español ha llegado al final del libro. Esto prueba el interés y trabajo que todos han realizado.

Se comunica a todos los interesados que el grupo de principiantes ha logrado aprender todos los verbos irregulares del español. La mejor manera de lograrlo es pasando las vacaciones en las playas del sur de España.

Esta tarde se celebra la fiesta de fin de curso. Todos los alumnos parecían contentos y felices.

Mañana a las 10, en el Salón de Actos, se realizará la entrega de Diplomas a todos los participantes en el curso Superior. El curso ha sido un éxito.

Los números entre paréntesis indican la Unidad en que cada palabra aparece por vez primera

A

a diario (15).
a gusto (15).
a medida (9).
a menudo (19).
a pie (16).
abierto (10).
abogado, el (2).
abrazo, el (23).
abrigo, el (9).
abril (3).
abrir (25).
abuela, la (11).
abundante (18).
aburrido (11).
acabar(se) (6).
accidente, el (21).
aceite, el (25).
acelerador, el (25).
acelerar (25).
aceptación, la (12).
acerca de (23).
acompañar (7).
aconsejar (20).
acostarse (6).
actitud, la (23).
actividad, la (26).
actor, el (2).
actualmente (15).
acudir (26).
además (2).
adhesión, la (26).
adiós (1).
administrativo, el (7).
adónde (11).
adornado (20).
aéreo (6).
aeropuerto, el (6).
afectar (26).
afeitarse (14).
aficionado (22).
afueras, las (4).
agencia, la (4).
ágil (12).
agosto (6).
agradable (5).

agradecer (20).
agresivo (16).
agricultor, el (12).
agua, la/el (3).
agudo (25).
ahora (2).
ahorrador (10).
ahorrar (10).
aire, el (8).
ajo, el (19).
al cabo de (23).
al final (10).
alarma, la (22).
alcalde, el (5).
alcanzar (17).
alcohol, el (15).
alegrar(se) (13).
alegre (3).
alegría, la (3).
alemán (2).
Alemania (2).
alfombra, la (4).
algodón, el (9).
algún (25).
alguno (10).
alimentos, los (25).
aliviado (24).
allí (2).
alojamiento, el (17).
alquilar (4).
alquiler, el (4).
alrededor de (14).
alrededores, los (18).
alto (3).
altura, la (7).
alumno, el (2).
ama de casa, la/el (2).
amable (3).
amante, el/la (21).
amar (14).
amarillento (24).
amarillo (4).
ambiente, el (19).
ambulancia, la (4).
ambulatorio, el (15).
americano (2).
amigo, el (1).
amor, el (21).
amplio (9).

amurallado (18).
añadir (15).
analizar (24).
ancho (21).
andaluz (18).
andar (24).
año, el (6).
ante (25).
antes (23).
antigüedades, las (11).
antiguo (3).
anual (18).
anunciar(se) (6).
anuncio, el (4).
aparato, el (26).
aparcamiento, el (5).
apartamento, el (18).
apellido, el (1).
aperitivo, el (19).
apertura, la (10).
apetecer (7).
apretar (25).
aprobar (23).
aprovechar(se) (11).
aproximadamente (6).
apuntar (22).
aquel (16).
aquello (3).
aquí (3).
árabe (18).
árbol, el (24).
ardiente (26).
arena, la (16).
argelino (2).
argentino (2).
arma, el/la (22).
armario, el (4).
armonía, la (15).
arqueológico (17).
arquitectura, la (17).
arrancar (25).
arreglado (25).
arreglar(se) (12).
arriba (4).
arte, el (20).
artesanía, la (18).
artesano (18).
artículo, el (9).
artificial (26).

ascender (23).
asearse (14).
asegurar(se) (26).
aseo, el (4).
astronauta, el/la (23).
asunto, el (21).
atención, la (6).
atender (15).
atletismo, el (7).
atmósfera, la (18).
atómico (26).
atracador, el (22).
atraco, el (22).
atractivo (16).
atrás (4).
aumento, el (8).
aún (16).
auricular, el (25).
auscultar (24).
ausencia, la (23).
autobús, el (4).
autopista, la (20).
autoridad, la (26).
avería, la (23).
avión, el (6).
avisar (23).
aviso, el (6).
ayer (6).
ayuntamiento, el (5).
azul (4).

B

bachillerato, el (16).
bailar (7).
bailarina, la (18).
bajar (21).
bajo (8).
balcón, el (3).
balón, el (18).
baloncesto, el (7).
bañarse (8).
banco, el (5).
bañera, la (14).
baño, el (4).
bar, el (2).

barato (4).
barco, el (3).
barra, la (19).
barrio, el (4).
barro, el (18).
basílica, la (17).
bastante (4).
bazar, el (12).
bebida, la (19).
belleza, la (15).
bello (15).
beso, el (11).
besugo, el (19).
bicicleta, la (8).
bien (1).
bienestar, el (15).
billete, el (10).
bingo, el (10).
blanco (3).
blusa, la (9).
bocadillo, el (19).
bolsillo, el (9).
bolso, el (26).
bomberos, los (25).
bonito (3).
bota, la (10).
botella, la (10).
botijo, el (18).
botón, el (9).
Brasil (2).
brasileño (2).
brazo, el (15).
brillo, el (25).
brusco (18).
buenas noches (1).
buenas tardes (1).
bueno (1).
buenos días (1).
buscar (4).

C

caballero, el (10).
cabina de teléfonos, la (4).
cadena, la (21).
caer (23).
café, el (12).
cafetería, la (14).
caja, la (10).
cajero, el (22).
calcetines, los (9).
calculadora, la (25).
calefacción, la (4).
calentador, el (25).

calentar (25).
calidad, la (15).
cálido (8).
caliente (13).
calle, la (3).
calor, el (6).
calzado, el (9).
cama, la (4).
cámara, la (11).
camarero, el (2).
cambiar (10).
cambio, el (8).
camino, el (3).
camisa, la (9).
camiseta, la (18).
campeón, el (26).
campo, el (4).
canal, el (25).
cancelar (6).
canción, la (11).
canelones, los (19).
cansado (14).
cansar(se) (16).
cantante, el (2).
cantidad, la (10).
capacidad, la (26).
capital, la (5).
capitán, el (25).
capricho, el (16).
cara, la (8).
carácter, el (16).
característica, la (18).
¡caramba! (6).
carnaval, el (1).
carne, la (25).
caro (4).
carrera, la (20).
carretera, la (26).
carta, la (7).
cartero, el (2).
cartón, el (16).
casa, la (3).
casar(se) (7).
casero (19).
castaño (18).
castañuelas, las (18).
castillo, el (18).
catálogo, el (17).
catedral, la (3).
categoría, la (17).
catorce (6).
causa, la (23).
cava, el (13).
caza, la (18).
cazador, el (18).
cebolla (25).

celebrar(se) (21).
cena, la (6).
cenar (6).
cenicero, el (18).
ceñido (9).
centímetro, el (16).
central, la (26).
centro, el (17).
cepillar (14).
cepillo (14).
cerámica, la (18).
cerca (2).
ceremonia, la (26).
cero (1).
cerrado (10).
cerveza, la (10).
cese, el (23).
chalet, el (18).
champú, el (15).
chaqueta, la (9).
charlar (19).
cheque, el (10).
chico, el (16).
chuleta, la (10).
ciclismo, el (7).
cielo, el (8).
cien (10).
cinco (1).
cincuenta (10).
cine, el (4).
cinturón, el (9).
cita, la (6).
ciudad, la (3).
ciudadela, la (18).
claro (3).
clase, la (2).
clásico (7).
clavija, la (25).
cliente, el/la (10).
clima, el (8).
club, el (1).
coche, el (4).
cocina, la (4).
cocinar (7).
código, el (25).
codo, el (15).
coger (14).
cohete, el (23).
cojear (24).
colaboración, la (15).
colar (25).
colección, la (11).
colegio, el (4).
colina, la (20).
collar, el (24).
colonia, la (14).

color, el (3).
combinar (15).
comedor, el (4).
comentar(se) (26).
comenzar (16).
comer (4).
comida, la (11).
comisaría de policía, la (4).
comisión, la (23).
cómo (1).
comodidad, la (4).
cómodo (20).
compañía, la (21).
comparar (17).
competitivo (16).
completo (17).
componer (16).
compra, la (10).
comprar (4).
comprender (18).
comprensivo (12).
comprobar(se) (15).
computador, el (7).
comunicar(se) (26).
comunista, el/la (23).
con (3).
concierto, el (7).
concurso, el (11).
conducir (7).
conductor, el (17).
conectar (25).
conector, el (25).
confirmar (12).
conforme (10).
congelar (25).
congreso, el (7).
conjunto, el (18).
conocer(se) (26).
conocer (3).
conquistar (26).
conservador (23).
conservar(se) (15).
constitución, la (23).
consulta, la (15).
contacto, el (25).
contaminado (18).
contento (2).
contestar (15).
contigo (11).
continuar (25).
contraste, el (25).
contribuir (23).
control, el (26).
controlador, el (6).
controlar (21).

convenir (4).
conversación, la (19).
convertir(se) (23).
copa, la (26).
corbata, la (9).
cordero, el (10).
cordial (12).
corredor, el (26).
correr (7).
corrida, la (20).
corriente, la (25).
cortado (26).
cortina, la (14).
corto (13).
cosa, la (3).
costa, la (5).
costar (10).
coto, el (18).
creativo (16).
crédito, el (17).
creer(se) (6).
crema (15).
crisis, la (21).
cuadrado (4).
cuadro, el (4).
cuál (1).
cualquier (7).
cuando (14).
cuánto (6).
cuarto, el (4).
cuatro (1).
cubierto (8).
cuenta corriente, la (10).
cuenta, la (25).
cuerpo, el (15).
cuidado, el (15).
cuidadoso (21).
cuidar (15).
culpa, la (19).
cultura, la (16).
cultural (11).
cumpleaños, el (7).
curioso (19).
curso, el (11).
cutis, el (15).

D

dar (3).
darse cuenta (24).
darse prisa (6).
de (1).

de acuerdo (2).
de nada (10).
de noche (9).
de nuevo (6).
de pie (22).
de repente (23).
de veras (23).
deber, el (6).
débil (15).
decidir (16).
décimo (24).
decir (13).
decisión, la (16).
declarar (26).
dedicar(se) (2).
dejar (3).
delgado (16).
delicado (13).
demás, los/las (21).
demasiado (2).
demostrar (13).
dentista, el (2).
dentro (3).
deporte, el (7).
deportivo (9).
deprimido (22).
derecha, la (3).
desagradar (13).
desayunar (14).
desayuno, el (14).
descansar (11).
descanso, el (20).
desconectar (25).
descubrir (16).
descuido, el (23).
desde (14).
desear (3).
desgaste, el (21).
deshacer (25).
desilusión, la (13).
despacho, el (12).
despacio (15).
despedir(se) (13).
despejado (8).
despejar(se) (11).
después de (13).
destino, el (6).
destruir (23).
detalle, el (15).
detectar (26).
determinado (21).
detrás de (5).
día, el (11).
diario (20).
dibujante, el/la (11).
dibujar (16).

dibujo, el (9).
diciembre (6).
diez (3).
diferencia, la (6).
difícil (4).
dificultad, la (21).
dimensión, la (18).
dinámico (15).
dinero, el (10).
diploma, el (26).
diplomático, el (23).
diputado, el (23).
dirección, la (3).
director, el (2).
discoteca, la (4).
disculpa, la (26).
disculpar(se) (6).
discurso, el (26).
disfrutar (11).
disminuir (26).
disparate, el (16).
disponer (18).
distancia, la (10).
distinto (18).
distraído (19).
diverso (23).
divertido (10).
divertir(se) (1).
doble (17).
doce (6).
doctorarse (16).
dólar, el (10).
doler (15).
dolor, el (24).
domicilio, el (10).
dominación, la (18).
dominar (18).
domingo, el (6).
dónde (2).
donde (4).
dorado (20).
dormir (15).
dormitorio, el (4).
dos (1).
doscientos (10).
ducha, la (14).
ducharse (14).
duda, la (16).
dulce (4).
duque, el (16).
duquesa, la (16).
durante (11).
durar (16).

E

economía, la (16).
económico (19).
edad, la (21).
edificio, el (3).
efectuar (25).
ejercicio, el (15).
elaborar (9).
electricidad, la (25).
elegante (12).
elegido (12).
elegir (20).
ella (3).
embajada, la (20).
embajador, el (20).
embarcación, la (18).
embarque, el (6).
embrague, el (25).
empezar (14).
empleado, el (10).
emprender (26).
empresa, la (2).
en consecuencia (26).
en frente de (4).
en general (8).
en realidad (4).
en regla (17).
en (4).
enamorado (23).
encantado (1).
encantar (2).
enchufe, el (25).
encierro, el (20).
encontrar(se) (15).
energía, la (21).
enero (6).
enfadado (22).
enfermedad, la (21).
enfermera, la (11).
enfermo, el (12).
enfrente (14).
enseguida o en seguida (15).
enseñar (9).
entender(se) (18).
entonces (3).
entrar (6).
entre (5).
entrega, la (26).
entrenador, el (26).
entrevista, la (12).
entusiasmo, el (21).
enviar (11).
época, la (17).

equilibrado (15).
equipo, el (26).
erróneo (23).
escalope, el (19).
escote, el (9).
escribir (11).
escritor, el (12).
escuchar (7).
escuela, la (4).
esculpido (20).
eso (15).
espacio, el (26).
espacial (26).
espada, la (18).
espalda, la (15).
España (2).
español (2).
especial (3).
especialidad, la (19).
especialmente (15).
espejo, el (4).
esperar (7).
esplendor, el (18).
esposa, la (12).
esquí, el (7).
esquiar (8).
esquina, la (5).
ésta (3).
estación, la (3).
estado, el (26).
Estados Unidos (EE.UU.) (2).
estallar (23).
estancia, la (20).
estar (1).
estatura, la (18).
éste (3).
estilo, el (20).
estimado (12).
esto (3).
estrecho (3).
estropeado (25).
estropear(se) (26).
estudiante, el/la (2).
estudiar (2).
estudio, el (4).
estupendo (7).
eterno (18).
etiqueta, la (9).
exactamente (4).
excelente (15).
excepto (20).
excursión, la (8).
excusa, la (23).
exiliarse (16).
existir (18).
éxito, el (26).

exótico (17).
explicación, la (15).
explicar (15).
explosión, la (23).
extensión, la (18).
extranjero (16).
extranjero, el (25).

F

fábrica, la (16).
fachada, la (20).
Facultad, la (14).
falda, la (9).
fallo, el (23).
falso (22).
faltar (23).
familia, la (12).
famoso (3).
fantasía, la (9).
farmacia, la (4).
favorable (21).
febrero (6).
fecha, la (6).
felicitación, la (26).
felicitar (26).
feliz (13).
feo (13).
feria, la (3).
ferretería, la (18).
fibra, la (9).
fiebre, la (15).
fiesta, la (1).
figura, la (20).
fijarse (13).
fijo (19).
filete, el (19).
final, el (18).
finalmente (16).
fino (9).
firma, la (10).
firmar (10).
físico (16).
flamenco (18).
flor, la (3).
folleto, el (20).
fondo, el (25).
formación, la (26).
fortaleza, la (18).
foto(grafía), la (7).
fotocopiadora, la (25).
fotógrafo, el (2).
francés (2).

Francia (2).
frecuentado (18).
frecuentemente (19).
freno, el (25).
frente a (23).
fresa, la (19).
fresco, el (8).
frigorífico, el (4).
frío, el (8).
frontera, la (20).
fruta, la (25).
fuego, el (8).
fuente, la (21).
fuera (4).
fuerte (8).
fumar (15).
funcionar (25).
fusilamiento, el (16).
fútbol, el (7).
futuro, el (11).

G

gabardina, la (9).
gana, la (23).
ganador, el (11).
ganar (10).
garaje, el (4).
garganta, la (15).
gas, el (4).
gastado (26).
gastar (9).
gasto, el (17).
gaucho, el (18).
general, el (25).
generalmente (8).
gente, la (3).
gimnasia, la (6).
girar (5).
gobernador, el (15).
gobierno, el (26).
golf, el (7).
golpear (24).
gordo (13).
gótico (20).
gracias, las (1).
gracioso (13).
grado, el (8).
grande (3).
grandes almacenes, los (9).
grave (15).
gravedad, la (26).
gripe, la (15).

gris (22).
gritar (19).
guapo (13).
guardia civil, la (25).
guarnición, la (19).
guisante, el (25).
guiso, el (19).
gustar (4).
gusto, el (7).

H

haber (3).
habitación, la (4).
habitante, el (5).
habla, el/la (23).
hablar (17).
hacer (2).
hacia (14).
hambre, el/la (15).
hasta luego (1).
hasta pronto (4).
helada, la (8).
herir(se) (24).
hielo, el (8).
hierba, la (4).
hijo, el (4).
hipótesis, la (23).
Hispanoamérica, (2).
historia, la (26).
hogar, el (4).
hoguera, la (8).
hola (1).
hombre, el (16).
hora, la (4).
horario, el (10).
horno, el (4).
horóscopo, el (21).
horrible (8).
horroroso (13).
hospedaje, el (20).
hospital, el (4).
hotel, el (5).
hoy (6).
hoyo, el (18).
huelga, la (6).
huevo, el (25).
húmedo (8).
humo, el (19).

I

idea, la (7).
ideal (18).
idioma, el (16).
iglesia, la (5).
igual (10).
igualmente (12).
ilusionado (17).
imagen, la (15).
imponer(se) (26).
importancia, la (15).
importante (2).
importar (19).
incidente, el (26).
incluido (20).
incluso (18).
increíble (26).
indefinido (21).
indiferente (23).
individual (20).
industria, la (26).
industrial (5).
inesperado (21).
influencia, la (23).
información, la (15).
informe, el (26).
infraestructura, la (26).
Inglaterra (2).
inglés (2).
ingreso el (10).
iniciar(se) (16).
inolvidable (11).
inquietarse (24).
instalación, la (18).
instante, el (16).
intenso (16).
interés, el (11).
interesado (12).
interesante (6).
interesar (4).
interior, el (18).
intermitente (25).
interruptor, el (25).
introducir, el (25).
invasión, la (16).
investigación, la (21).
investigador, el (16).
invierno, el (8).
invitar (7).
inyección, la (15).
ir (2).
irregular (26).
italiano (2).
izquierda, la (3).

J

jabón, el (14).
japonés (2).
jardín, el (4).
jarrón, el (13).
jefe, el (1).
jerez, el (19).
jersey, el (9).
joven (7).
judías, las (25).
juego, el (10).
jueves, el (6).
jugador, el (26).
jugar (3).
juguete, el (18).
julio (6).
junio (6).
junto a (5).
juvenil (1).

K

kilo(gramo), el (10).
kilómetro, el (5).

L

labio, el (15).
ladrar (24).
ladrón, el (22).
lámpara, la (4).
lanzamiento, el (26).
lanzar (26).
lavabo, el (14).
lavadora, la (4).
lavar(se) (14).
lavavajillas, el (4).
leer (4).
lejano (21).
lejos (3).
lenguado, el (10).
letrero, el (18).
levantar(se) (6).
levantino (8).
libre (21).
librería, la (5).
licenciado, el (16).
ligero (8).

limpiar (25).
limpieza, la (15).
limpio (4).
línea, la (17).
lingüista, el/la (7).
listo (13).
litoral, el (18).
litro, el (10).
llamar(se) (1).
llanura, la (20).
llave, la (25).
llegada, la (17).
llegar (6).
llevar (6).
llorar (24).
llover (8).
lluvia, la (8).
lograr (26).
los (3).
luego (3).
lujo, el (20).
lunes, el (6).

M

madre, la (2).
madrugar (14).
maestra, la (2).
magnífico (18).
mal (8).
maleta, la (22).
mañana, la (6).
mando, el (25).
manera, la (15).
mano, la (15).
manual (25).
manzana, la (10).
maquillarse (14).
máquina, la (14).
mar, la/el (5).
maravilloso (4).
marcar (25).
marcha, la (25).
marco, el (10).
marido, el (4).
marítimo (18).
marrón (4).
martes, el (6).
marzo (6).
más (6).
matemáticas, las (13).
material, el (9).
matrimonio, el (14).

máximo (25).
mayo (6).
mayor (11).
mecánico, el (2).
medalla, la (24).
medianoche, la (6).
medias, las (9).
médico, el (2).
medio, el (10).
mediodía, el (6).
medir (26).
mediterráneo, el (8).
mejicano (2).
mejilla, la (15).
mejor (16).
mejorar (21).
menor (21).
mente, la (15).
menú, el (19).
mercadillo, el (18).
mercado, el (10).
merluza, la (10).
mes, el (6).
mesa, la (4).
mesón, el (19).
meta, la (26).
meter (25).
metro, el (4).
mexicano (17).
mezquita, la (20).
mi (1).
miedo, el (22).
miembro, el (26).
miércoles, el (6).
militar, el (5).
millón, el (4).
mineral (19).
minuto, el (4).
mirar(se) (2).
mitad, la (26).
moda, la (9).
modelo, el (9).
moderno (7).
molesto (8).
moneda, la (10).
monopolio, el (26).
montaña, la (6).
monumental (20).
monumento, el (17).
morir (16).
mostrar (20).
moto, la (7).
motor, el (25).
mover (15).
mucho (2).
muerte, la (16).

mujer, la (7).
mundo, el (3).
muralla, la (18).
museo, el (5).
música, la (7).
musical (11).
músico, el (2).
muy (1).

N

nacer (16).
nacional (7).
nacionalidad, la (2).
nada (7).
nadar (24).
nadie (11).
naranja (4).
naranja, la (10).
nata, la (19).
natación, la (7).
natural (15).
naturalidad, la (15).
naturalmente (4).
náu... o (18).
nave, la (26).
navidades, las (8).
necesidad, la (26).
necesitar (12).
negociación, la (26).
negocio, el (21).
negro (4).
nervios, los (22).
nervioso (22).
nevar (8).
niebla, la (8).
nieve, la (6).
niñez, la (21).
ningún (25).
niño, el (2).
nivel, el (25).
no (1).
noche, la (10).
nombrar (23).
nombre, el (1).
norma, la (8).
normal (9).
normalmente (2).
norte, el (5).
nos (2).
nosotros (2).
nota, la (23).
notar (22).

noticia, la (21).
novela, la (24).
noveno (24).
noviembre (6).
novio, el (14).
nube, la (8).
nublado (8).
nubosidad, la (8).
nuclear (26).
nuestro (3).
nuevo (2).
número, el (3).
numeroso (8).
nunca (7).

O

o (3).
objeto, el (11).
obligar (21).
obra, la (16).
observar (24).
obtener (26).
occidental (26).
occidente, el (21).
ocio, el (21).
octavo (24).
octubre (6).
oculto (22).
ocupar (16).
ocurrir (16).
odiar (7).
oficial (26).
oficina, la (5).
ofrecer (4).
oído, el (24).
oír (1).
ojos, los (15).
oler (19).
oliva, la (25).
olvidar(se) (11).
onda, la (11).
opcional (17).
operación, la (25).
opinión, la (15).
oportunidad, la (21).
orden, la (23).
orfebrería, la (17).
organizar (22).
origen, el (16).
orilla, la (18).
oro, el (3).
os (2).

oscuro (4).
otoño, el (8).
otro (4).
oyente, el/la (11).

P

padre, el (2).
pagar (10).
país, el (2).
paisaje, el (18).
palanca, la (25).
pan, el (19).
panadero, el (12).
panorámica, la (17).
pantalón, el (9).
pañuelo, el (18).
paquete, el (13).
para (3).
parada, la (5).
paraguas, el (23).
parar(se) (21).
parecer (4).
pared, la (4).
parlamento, el (23).
parque, el (3).
participante, el (26).
particular (12).
partido, el (23).
partir (14).
pasajero, el (6).
pasaporte, el (17).
pasar (1).
pasear (3).
paseo, el (17).
pasión, la (7).
paso, el (26).
pastel, el (15).
pastilla, la (15).
patata, la (10).
pecho, el (15).
pedazo, el (23).
pedir (14).
peinarse (14).
peine, el (14).
pelar (25).
película, la (13).
peligro, el (21).
peligroso (26).
pelo, el (14).
pelotón, el (26).
pensar (16).
pensión, la (17).
pepino, el (25).

pequeño (2).
pera, la (10).
perder (14).
pérdida, la (21).
perejil, el (19).
periódico, el (4).
periodista, el/la (11).
permiso, el (22).
permitir (18).
pero (2).
perro, el (24).
persona, la (12).
personal (17).
perspectiva, la (21).
pesado (23).
pesca, la (18).
pescado, el (10).
peseta, la (10).
petróleo, el (21).
piano, el (7).
picadillo, el (19).
picante (19).
pie, el (15).
piel, la (15).
pierna, la (15).
pijama, el (24).
piloto, el/la (25).
pimiento, el (19).
pinar, el (18).
pintar (7).
pintor, el (16).
pintoresco (18).
pirámide, la (17).
pisar (25).
piscina, la (4).
piso, el (4).
pista, la (4).
pistola, la (22).
plan, el (11).
planchar (7).
planta, la (4).
plátano, el (10).
plato, el (18).
playa, la (11).
plaza, la (4).
pleno (18).
poco (4).
poder (1).
poderoso (10).
policía, la (25).
política, la (23).
político, el (2).
pollo, el (19).
poner (14).
popular (18).
por consiguiente (26).

por ejemplo (8).
por el contrario (26).
por favor (3).
por qué (2).
por supuesto (10).
por tal motivo (26).
por tanto (26).
porque (2).
posibilidad, la (17).
posible (10).
postal, la (11).
postre, el (19).
prácticamente (18).
practicar (7).
precaución, la (26).
precio, el (4).
precioso (4).
precipitadamente (24).
precisamente (9).
preferible (16).
preferir (7).
prefijo, el (25).
pregunta, la (15).
preguntar (4).
premio, el (11).
prenda, la (9).
preocupación, la (11).
preocuparse (10).
preparar (14).
presencia, la (16).
presentación, la (17).
presentador, el (11).
presentar (1).
presidente, el (7).
primavera, la (8).
primer (16).
primero (3).
primitivo (18).
principal (17).
principalmente (8).
principio, el (21).
prisa, la (6).
privilegiado (18).
probable (21).
probador, el (9).
probar(se) (9).
problema, el (15).
procesión, la (3).
producir (22).
profesión, la (21).
profesor, el (2).
profundo (16).
programa, el (11).
prohibido (17).
pronto (11).
propulsor (23).

provecho, el (19).
provincia, la (15).
próximo (20).
proyecto, el (23).
psicología, la (2).
público, el (16).
pueblo, el (5).
puente, el (3).
puerros, los (19).
puerta, la (3).
puerto, el (18).
pues (3).
puesto, el (12).
pulsar (25).
punto, el (25).
puro (9).

Q

qué (2).
quedar (6).
quejarse (7).
quemarse (19).
querer (2).
queso, el (10).
quién (1).
quieto (23).
quinientos (10).
quinto (24).
quitar (25).
quizá(s) (10).

R

radio, la (11).
raíz, la (17).
rapidez, la (22).
rápido (13).
raro (18).
razón, la (16).
real (11).
realidad, la (16).
realizar (17).
rebajas, las (9).
receptor, el (25).
recetar (15).
recibidor, el (4).
recibo, el (10).
recoger (10).

recomendar (19).
recordar (3).
recorrido, el (17).
recto (3).
recuerdo, el (11).
redondo (3).
reducir (23).
referéndum, el (23).
reflejarse (24).
reforzar (21).
refugio, el (18).
regalo, el (11).
régimen, el (17).
región, la (8).
regreso el (17).
regular (21).
reina, la (2).
reinar (16).
reírse (18).
relación, la (16).
relacionarse (16).
rellenar (10).
relleno (19).
Renfe, la (25).
representante, el/la (11).
representar (23).
representativo (17).
reserva, la (17).
residencia, la (16).
respirar hondo (15).
respuesta, la (15).
restaurante, el (19).
resto, el (14).
retraso, el (6).
retrato, el (16).
reunión, la (6).
revista, la (7).
rey, el (2).
rico (13).
riñones, los (15).
río, el (3).
rítmico (7).
ritmo, el (11).
roca, la (20).
rodear (18).
rodillas, las (15).
rojo (4).
románico (20).
romano (18).
romper(se) (13).
ropa, la (4).
rosa (9).
rosado (19).
roto (21).
rubio (18).
ruido, el (4).

ruidoso (5).
ruina, la (18).

S

sábado, el (6).
sábana, la (15).
saber (5).
sabor, el (18).
sacar (11).
sal, la (25).
sala, la (7).
salida, la (3).
salir (3).
salsa, la (19).
salud, la (15).
saludable (15).
salvar (14).
sano (15).
sastrería (9).
satélite, el (26).
satisfecho (13).
secar (25).
sección, la (10).
seco (19).
secretaria, la (1).
sed, la (19).
seguir (3).
según (25).
segundo (24).
Seguridad Social, la (15).
seguro (4).
seis (3).
sello, el (11).
semana, la (6).
señal, la (22).
sencillo (15).
señorita, la (3).
sensible (12).
sentarse (17).
sentido, el (16).
sentimiento, el (21).
sentir (1).
separado (7).
septiembre (6).
séptimo (24).
ser (1).
serranía, la (18).
serrano (18).
servicio, el (15).
servir (19).
seta, la (19).
sexto (24).

sí (3).
sierra, la (18).
siete (2).
siglo, el (20).
silla, la (4).
sillón, el (4).
similar (18).
simpático (3).
sin embargo (7).
sitio, el (3).
situación, la (15).
situar (4).
sobrar (19).
sobre todo (3).
socio, el (1).
sofá, el (4).
sol, el (5).
solamente (4).
soler (19).
sólo, solo (8).
soltar (25).
sombrero, el (18).
sonido, el (25).
sorbete, el (19).
sótano, el (4).
soviético (23).
su(s) (1).
suave (8).
suavidad, la (25).
subida, la (10).
subir (3).
sucio (3).
sueco, el (2).
sueldo, el (21).
suelo, el (13).
suelto (9).
suerte, la (6).
suficiente (23).
suizo, el (2).
superar (21).
supermercado, el (4).
suplemento, el (17).
sur, el (8).

T

talla, la (9).
también (3).
tampoco (4).
tapado (22).
tapeo, el (19).

tapiz, el (16).
tapón, el (24).
tarde, la (10).
tarea, la (14).
tarjeta, la (17).
tarta, la (13).
tauromaquia, la (16).
taxi, el (3).
taxista, el/la (3).
taza, la (25).
teatro, el (4).
teclear (25).
técnico, el (23).
tela, la (9).
teléfono, el (4).
televisión, la (7).
televisor, el (25).
temer (14).
temperatura, la (8).
templado (8).
templo, el (17).
temporada, la (17).
temprano (6).
tendencia, la (21).
tenedor, el (19).
tener (6).
tenis, el (6).
tercer (4).
tercero (24).
término, el (18).
termómetro, el (15).
termostato, el (25).
terraza, la (4).
tiempo, el (6).
tienda, la (4).
tierra, la (8).
timbre, el (17).
típico (11).
tipo, el (16).
toalla, la (14).
tocar (24).
todavía (11).
todo (3).
tomar (5).
tomate, el (10).
tono, el (15).
tonto (24).
torero, el (5).
tormenta, la (8).
toro, el (18).
torre, la (3).
tortuoso (21).
trabajar (2).
trabajo, el (2).
traer (10).
traje, el (9).

tranquilamente (25).
tranquilidad, la (4).
tranquilo (4).
traslado, el (17).
tratado, el (26).
tratar (15).
trece (3).
tren, el (3).
tres (1).
triste (23).
trozo, el (13).
tú (1).
turismo, el (20).
turista, el/la (3).
turístico (11).
turno, el (20).

U

último, el (6).
único (13).
universidad, la (2).
uno (1).
uña, la (15).
urbanización, la (18).
urgencia, la (25).
urgente (23).
urgentemente (12).
usar (12).
usted (1).
utilizar (10).
uva, la (10).

V

vacaciones, las (2).
vacío (16).
valer (4).
válido (23).
valor, el (10).
variedad, la (19).
varios (17).
vaso, el (25).
vecino, el (7).
vegetación, la (18).
vehículo, el (12).
veinticinco (10).
vender (4).

venir (16).
ventana, la (4).
ventanilla, la (10).
ver (3).
verano, el (8).
verbo, el (26).
verdad, la (18).
verdadero (11).
verde (4).
verdura, la (19).
vestido, el (9).
vestir (9).
veterinario, el (2).
vez, la (10).
viajar (2).
viaje, el (6).
vida, la (7).
vídeo, el (7).
viejo (16).
viento, el (6).
viernes, el (6).
vigilar (19).
vinagre, el (25).
vino, el (10).
violín, el (7).
visita, la (17).
visitar (2).
vistoso (20).
vitalidad, la (21).
vitamina, la (15).
vivir (2).
volar (14).
volcán, el (8).
volumen, el (13).
volver (5).
voz, la (22).
vuelo, el (6).
vuelta, la (8).
vuestro (2).

Y

y (1).
ya (3).
yo (1).

Z

zapatería, la (9).
zapato, el (4).
zona, la (8).

Índice

Presentación 5
1. ¡Hola, amigos! 10
2. Mi país y mi profesión 16
3. Quien va a Sevilla... 22
4. Hogar, dulce hogar 28
5. Preguntando se va a Roma 34
6. El tiempo es oro 40
7. Sobre gustos no hay nada escrito 46
8. A mal tiempo, buena cara 52
9. Viste como quieras 58
10. Poderoso caballero es don Dinero 64
11. Planes futuros 70
12. El deber es el deber 76
13. Me alegro 82
14. A quien madruga, Dios le ayuda 88
15. Mente sana en cuerpo sano 94
16. Érase una vez... 100
17. ¡A recorrer mundo! 106
18. Sobre gustos no hay nada escrito 112
19. ¡Buen provecho! 118
20. De vacaciones en España 124
21. ¿Cuál será tu futuro? 130
22. Sucesos 136
23. Por qué será 142
24. Vamos a contar un cuento 148
25. Instrucciones para su uso 154
26. ¡Aquí, Antena-1! 160
Apéndice I: Aspectos gramaticales 166
Apéndice II: Grabaciones 180
Apéndice III: Léxico 186